Romanzi e Racconti   201

Dorothy Strachey

Olivia

Traduzione di Carlo Fruttero

Baldini&Castoldi

http://baldini.editore.it   e-mail: info@baldini.editore.it

Traduzione dall'inglese
di Carlo Fruttero

Titolo originale:
«Olivia»

© 1949 The Hogarth Press

© 2001 Baldini&Castoldi S.p.A.
Milano
ISBN 88-8490-005-0

Alla cara memoria di V.W.

L'on n'aime bien qu'une seule fois: c'est la première.
Les amours qui suivent sont moins involontaires.

La Bruyère

Introduzione

Ho occupato questo inverno ozioso e vuoto scrivendo una storia. L'ho scritta per il mio piacere, senza darmi pensiero della mia vanità o della mia modestia, senza preoccuparmi dei sentimenti altrui, senza chiedermi se avrei urtato o ferito i vivi, senza farmi scrupolo di parlare dei morti.

Il mondo sta cambiando, lo so. Non sono indifferente alla rivoluzione che ci ha presi nelle sue pieghe possenti, all'enormità dell'onda che minaccia di sommergerci. Ma che cosa potrei fare? Nel turbine dell'uragano che preme da ogni parte, ho trovato rifugio per un momento su questa piccola zattera, costruita con i relitti della memoria. Ho cercato di guidarla nel porto tranquillo dell'arte, nella quale ancora credo. Ho cercato di evitare gli scogli e i banchi di sabbia che ne guardano l'accesso.

Ciò che mi accadde durante l'anno di scuola che passai in Francia mi sembra rapprendersi naturalmente nella forma di un racconto – un racconto breve e semplice, con due o tre personaggi e pochissimi episodi. È ispirato da un solo motivo e corre rapido e diritto, in una sola direzione, fino alla catastrofe finale. La sua verità è stata filtrata, trasposta, e forse superficialmente alterata, com'è inevitabile che accada in tutti gli scritti autobiografici. In poche decine di pagine ho condensato la storia di un anno intero, uno di quegli anni in cui la vita, se non il suo massimo rigoglio, tocca per lo meno la sua massima intensità, – l'anno in cui ogni esperienza vitale mi giungeva per la prima volta, o, se voi freudiani protestate, l'anno in cui per la prima volta acquistai coscienza di me stessa, dell'amore e del piacere, della morte e del dolore, e in cui ogni mia reazione a queste cose era inaspettata, stupefacente, *involontaria* quanto l'esperienza medesima.

So bene quali difficoltà circondino un'impresa come questa. So per esempio con quanta cura sia necessario disporre le cose perché lo scheletro scarno e indispensabile dei fatti si rivesta della carne viva, calda, piena della giovinezza, di colore e di movimento. So che da un lato la creatura può crescere secca e sparuta, ogni emozione assente dalla sua struttura angolosa, e che d'altra parte, mancando quella struttura, essa rischia di perdere la sua forza e la sua purezza e afflosciarsi nell'amorfa deliquescenza del sentimentalismo.

Come sperar di riuscire nel tentativo? E perché resistere al desiderio di compierlo?

L'amore è sempre stato l'occupazione principale della mia vita, l'unica cosa che io abbia sempre ritenuto – anzi, sentito – essere supremamente importante, e non dirò che a questa esperienza non ne seguirono altre. Ma a quel tempo ero innocente, e la mia era l'innocenza dell'ignoranza. Non sapevo che cosa stesse succedendo a me. Non sapevo che cosa fosse successo a tutti. Non avevo coscienza di nulla, vale a dire che la mia partecipazione era totale, come in seguito non mi doveva accadere mai più. Perché, dopo la prima volta, sempre una parte di me si teneva in disparte, e analizzava, confrontava, insinuava: «È reale tutto questo? È sincero?» Si stendeva davanti a me il vasto mondo dei miei predecessori che mi toglievano, per così dire, il pane di bocca. Questo spasimo al cuore, questo trasporto, erano davvero miei o non li avevo piuttosto letti in qualche libro? Per ogni sentimento, per ogni fase della mia passione mi scoccava nella mente la citazione di un poeta. Shakespeare o Donne o Heine l'avevano già definita esattamente. Era un conforto, forse, ma mi esasperava. Nulla mai sembrava spontaneo, mio. Mentre il sangue sgorgava dalla ferita, sempre una parte di me sogguardava sorridendo e scherniva: «Letteratura! Solo letteratura! Niente che meriti tanto chiasso!» E allora aggiungevo: «Così Mercuzio, morendo, scherzava!»

E non c'erano soltanto i poeti a inquinare le sorgenti dell'emozione, c'erano gli psicologi, i fisiologi, gli psicoanalisti, i Proust e i Freud. Non che non fosse interessante, questa capacità di ritrarsi dalla scena dell'azione, di starsene in agguato, aspettando, gli occhi bene aperti, che le bestie randage, le immonde creature della notte, uscissero strisciando dalle loro tane, e riconoscerle a una a una, e a ciascuna dare il suo nome, e di ciascuna sapere le abitudini – ma che cosa resta di noi stessi quando si rinunzia così a ciò che ci appartiene? Non diventiamo forse un terreno neutro dove questi animali irresponsabili eseguono in piena indipendenza le loro sarabande? Nascono, da questi pensieri, irritazione e disgusto, cinismo e scetticismo – i velenosi antidoti al veleno della passione. Ma il veleno che opera in una ragazza di sedici anni – nella ragazza romantica, sentimentale che io, in ogni caso, ero a quel tempo – non ha un simile antidoto e la gravità del male non è mitigata da inoculazioni precedenti. Ero terreno vergine, e presi il morbo come gl'indigeni delle isole dei mari del Sud presero la rosolia – una questione di vita o di morte.

Come avrei potuto capire, infatti, che cosa mi stava accadendo? Non c'erano indicazioni di sorta. A dire il vero i poeti (già allora, infatti, frequentavo i poeti) parlavano talvolta in un modo che sembrava illuminare stranamente la situazione. Ma doveva trattarsi, così pensavo, di un'illusione o di un caso. Che mai poteva esserci di comune tra gli amori di questi adulti, uomini e donne, e una ragazzina come me? Il mio caso era così diverso, inaudito. Non s'era mai sentito, anzi, di una cosa simile se non per ischerzo. Già, la gente soleva alludere scherzosamente alle «cotte da studentesse». Ma io sapevo fin troppo bene che la mia «cotta» uno scherzo non era. Eppure avevo l'inquietante sensazione che, se non uno scherzo, doveva essere qualcosa di vergognoso, qualcosa che bisognava nascondere disperatamente. A ciò mi induceva, credo, non tanto la riflessione (non giudicavo la mia passione riprovevole, ero troppo ignorante) quanto l'istinto – un istinto profondamente radicato che per tutta la vita mi ha trattenuto da ogni forma di scoperto abbandono, che mi ha vietato molti tra i più puri piaceri fisici e ogni espressione letteraria. Com'è possibile bagnare il corpo senza spogliarlo o scrivere senza mettere a nudo la propria anima?

Ma ora, dopo tanti anni, mi preme l'assillo della confessione. Mi si consenta di cedergli. Mi si consenta di fare la mia offerta sull'altare dell'... assenza. Gli occhi che avrebbero capito sono chiusi. E inoltre, non si tratta della mia anima ma di quella di una fanciulla di sedici anni, ormai lontana.

Un ultimo voto agli dèi! Che essi mi concedano di non aver profanato un ricordo raro e bellissimo!

1

Il mio riserbo, la mia ritrosia da ogni forma di esibizione, erano indubbiamente anche un fatto di eredità, di educazione. Chi di noi, in casa, osava mai fare allusione ai sentimenti o mai cercava di esprimerli? Pure, sentivamo anche noi, e non meno profondamente degli altri. Eravamo una famiglia vittoriana, e nonostante il nostro agnosticismo quasi militante, eravamo fedeli senza la più piccola sfumatura di scetticismo o di ipocrisia agli ideali del tempo: il dovere, il lavoro, l'abnegazione, la severa repressione di ciò che si chiamava indulgenza verso se stessi, l'orrore e il terrore di venir meno al codice corrente. Mio padre, che era un uomo di scienza e passava il tempo a investigare con eroica pazienza e la più rigorosa indipendenza di giudizio due o tre leggi della natura, non si sarebbe mai sognato di sottoporre allo stesso scrutinio le leggi della morale. Mia madre, da cui tutti noi ereditammo l'amore appassionato per la letteratura, che mi leggeva *Tom Jones* quando avevo quindici anni (non che io ne capissi la decima parte, all'oscuro com'ero dell'aspetto fisico della natura umana) e che conosceva più o meno a memoria gran parte degli Elisabettiani, aveva, in misura davvero singolarissima, la capacità di tenere a distanza la realtà. Era, io credo, la sua sovrabbondante vitalità a farle gustare i sanguigni eccessi di quei turbolenti autori. Ma li ammirava attraverso un muro di principî morali che la proteggeva efficacemente da ogni pericoloso contatto con la loro violenza. E la sua vitalità personale non le causò mai alcuna inquietudine. Andata sposa a diciotto anni, e madre di tredici figli, era, immagino, completamente ignara dei propri sensi. Immersa nella letteratura, era tuttavia stranamente priva di perspicacia psicologica e stranamente cieca con il prossimo. Non aveva mai la più vaga idea di che cosa noi ragazzi facessimo o pensassimo, e le più inequivocabili ed esplosive macchinazioni potevano svolgersi, come infatti spesso accadeva, sotto il suo naso senza destare in lei il minimo sospetto. Il suo amore per la poesia faceva parte senza dubbio della sua sensibilità musicale. Solo per il suono dei suoi versi mia madre perdonava a Milton, sia pure a malincuore, le sue abominevoli dottrine e aveva imparato il *Paradiso perduto* a memoria. Ma credo che la grande passione della sua vita fosse la politica. Imparentata per nascita e attraverso il matrimonio con l'aristocrazia delle famiglie anglo-indiane, figlia e moglie di grandi amministratori, aveva ereditato per l'arte di governo un interesse profondo e istintivo che tutte le circostanze della sua vita contribuivano ad alimentare.

Sto cercando di spiegare che sebbene il mio ambiente familiare fosse ricco di stimoli intellettuali di ogni sorta, presentava tuttavia – per quanto si riferisce all'umanità e all'arte – una curiosa, quasi anomala carenza, cioè insensibilità. Nonostante il suo amore per le lettere e la musica e la pittura, mia madre, ne sono convinta, sentiva queste cose soltanto intellettualmente. Forse era incapace della folgorazione mistica. Ma per restare su un terreno più prosaico, dirò che si circondava di cose brutte; i suoi mobili, i suoi quadri, i suoi vestiti, erano scelti non già senza discernimento ma senza gusto; né sapeva distinguere i buoni dai cattivi cibi e vini. Sebbene vives-

simo in quella solida agiatezza che si confaceva esattamente
alla nostra posizione sociale, l'elemento sensuale fu del tutto
assente dalla nostra educazione. Ricordo di essermene resa
conto paragonando mia madre con la sua unica sorella, la
zia E., che non aveva certo le doti intellettuali di mia madre,
ma che era sensibile all'arte fino alla punta delle sue bellissime
dita e sempre riusciva a creare attorno a sé un'atmosfera di
«*ordre et beauté, luxe, calme et volupté*». No; non erano soltanto la confusione e le restrizioni inevitabili in una famiglia
di dieci figli a rendere la nostra casa tanto diversa. Era qualcosa di molto più profondo.

Ma quegli elementi mancanti ai quali, io credo, la mia infanzia istintivamente anelava non dovevano essermi dati se
non molto più tardi – forse troppo tardi – quando non mi sarebbe più stato possibile assimilarli senza un profondo scon-
volgimento e forse una intossicazione permanente di tutto il
mio essere.

Quando ebbi tredici anni mia madre mi mandò in un istituto a quel tempo molto rinomato, situato a poca distanza da
casa nostra, in un sobborgo di Londra che ancora conservava
l'incanto delle case georgiane, dei vasti giardini, dei cedri im-
mensi, dei cespugli fioriti. Dirigeva questo collegio una signora
di qualità, che professava il credo wesleyano. Prima di mandarmi da lei, mia madre sentì il dovere di spiegare a Miss
Stock le nostre convinzioni atee, e le chiese di impegnarsi sulla
parola a non tentare di convertirmi. Miss Stock diede la parola
e la mantenne coscienziosamente. Non mi parlò mai personalmente di religione, ma l'atmosfera in cui vivevo ne era tutta
impregnata. Avevo la sensazione opprimente di essere una
reietta, una paria; avvertivo lo sbalordimento e la riprovazione
delle mie tre compagne di stanza allorché m'infilavo eroica-

mente nel letto senza prima essermi inginocchiata a recitare, o a fingere di recitare, le preghiere. In giardino, durante i primi mesi, mi accadeva a ogni svolta del sentiero di essere fermata da una delle anziane, e di sentirmi domandare se non volessi bene a Gesù, cosa che mi gettava nel più atroce imbarazzo. Assistevo alle orazioni, alle «ore della Bibbia». La domenica andavo in chiesa con le altre, due volte nello stesso giorno. Sentivo parlare continuamente del sangue di Nostro Signore, della tragica necessità di salvar l'anima, degli abissi paurosi in cui si poteva precipitare da un momento all'altro se non si correva a cercar rifugio nella Rocca dei Secoli. Tutti intorno a me sembravano assediati da ogni specie di «tentazioni», tutti vivevano nel continuo terrore di cadere «in peccato». Il peccato? Che cos'era il peccato? Laggiù, nello sfondo buio, si profilava un mostro misterioso dal quale le fanciulle pure dovevano distogliere il pensiero, ma anche qui, a portata di mano, c'erano abbastanza pericoli perché si dovesse procedere con estrema cautela – trabocchetti che ben difficilmente si potevano evitare senza l'aiuto di Dio. Io di quest'aiuto dovevo fare a meno, ma ero molto prudente e naturalmente coscienziosa. Tuttavia non si poteva mai dire. C'era l'orrendo crimine consistente nel «dir bugie», così difficile da riconoscere, così facile a commettersi. Se dicevi di aver letto un libro ma non avevi cercato nel dizionario tutte le parole di significato oscuro, bastava questo! Veniva immediatamente indetta una speciale «ora della Bibbia», dove ti sentivi accusare pubblicamente di essere «mentalmente, moralmente e spiritualmente morta», e le tue compagnie erano invitate a pregare per te. Questo non accadde a me personalmente, ma episodi del genere destavano tutta la mia indignazione e mi innervosivano all'estremo. Non mi sarebbe affatto piaciuto trovarmi esposta a quel modo alla riprovazione generale. Ancor meno mi sarebbe piaciuto venire espulsa, e vivevo così in uno stato di terrore continuo. Il fatto che dopo un anno o due trovai un'amica non diminuì il terrore – al contrario – ma mi aiutò a sopportarlo. Scoprimmo – ma come riuscimmo a scoprire – dopo chissà quanti sondaggi e caute esplorazioni del terreno scoprimmo di essere tutte e due «agnostiche»? Lucy, per di più, aveva il merito di esserlo diventata di propria iniziativa. Ah! divino sollievo! Avevo infine trovato qualcuno che si ribellava come me, che leggeva come me Shelley di nascosto, che capiva quando le si diceva che Prometeo era più grande di Cristo. Poi, fatteci sempre più audaci, ci avventuravamo ancora oltre: parlavamo di argomenti ancor più pericolosi – dell'amore, del matrimonio. Ci saremmo innamorate? Ci saremmo sposate? I nostri eroi? I nostri ideali? E quel mistero straordinario, tentante, proibito, di cui sentivamo la presenza in tutti gli adulti, che cos'era mai? Confusamente ci rendevamo conto che non avremmo capito nulla finché non avessimo capito quella cosa. Ma com'eravamo innocenti, e quanto ignoranti! Com'era smarrita, male instradata la nostra curiosità! Quanto eravamo lontane dal giusto sentiero, lontane perfino dal sospettarne l'esistenza! Ma anche così sapevamo le nostre conversazioni pericolosissime, tali da potervi indulgere soltanto con la massima circospezione. Ci sentivamo come due cospiratori e tremavamo di terrore se un'insegnante sopraggiungeva all'improvviso. Ci aveva sentite? Ci aveva certamente sentite. Glielo si leggeva in faccia. La nostra coscienza era greve di colpa. Se veniva indetta una speciale «ora della Bibbia» entravamo in classe con le ginocchia tremanti e un'ansia spasmodica.

Pure riuscimmo a salvarci. La fine del corso giunse senza disastri e Miss Stock, salutandomi, disse al di sopra degli occhiali, con quella soave benevolenza che sempre assumeva durante gli intervalli delle speciali «ore della Bibbia»:

«Ho l'impressione, mia cara, che tu non sia stata molto felice qui da noi. Mi sai dire perché? C'è forse qualcosa di cui tu abbia avuto a lagnarti?»

«No! oh, no! No!»

2

Avevo poco più di sedici anni quando mia madre decise di togliermi dall'istituto di Miss Stock e mandarmi in Francia in una scuola dove avrei completato la mia educazione. Ce n'era già una a portata di mano, tenuta da due signorine francesi che mia madre aveva conosciuto diversi anni prima soggiornando in un albergo in Italia, e che da allora erano rimaste sue buone amiche.

Mademoiselle Julie T. e Mademoiselle Cara M. erano personaggi nebulosi che avevo di quando in quando intravisto durante la mia infanzia, due figure appena distinguibili l'una dall'altra ma circonfuse di un certo alone romanzesco dovuto alla loro nazionalità straniera. Talvolta venivano a stare da noi per qualche giorno durante le vacanze. Quasi sempre mi mandavano a Capodanno un libro francese per bambini. Partendo da *Les malheurs de Sophie* procedemmo gradatamente attraverso vari volumi di Erckmann-Chatrian fino a *La petite Fadette* e a *François el Champi*, tediosa sequela che ebbe un'unica vivida, affascinante interruzione sotto forma di un romanzo di Alphonse Daudet adattato per la gioventù. Grazie a mia madre e a un'istitutrice francese, conoscevo discretamente la lingua, vale a dire che la capivo sentendola parlare e la leggevo correntemente; ma il mio tempo era troppo prezioso perché lo sprecassi sui libri francesi, per modo che i soli che leggessi

erano appunto quei regali di Capodanno, e anche quelli soltanto come un dovere di cortesia. All'istituto di Miss Stock
le lezioni di francese, impartite da una mortale Mademoiselle,
erano una tortura cui mi sottraevo come meglio potevo tuffan-
domi negli abissi di piacevoli astrazioni e riemergendo alla superficie per un istante quand'era il mio turno di tradurre due o
tre versi dell'*Avare* o di quel dato classico dalle cui maglie dovevamo districarci in quel trimestre.

La nuova scuola – si chiamava Les Avons – era situata in
una delle parti più belle di una grande foresta ed era facil-
mente raggiungibile da Parigi. Quella prima partenza per l'e-
stero fu entusiasmante. Viaggiai con un gruppo di altre ragazze, in parte nuove e in parte vecchie allieve, sotto la guida
delle due signorine, «*ces dames*», com'era d'uso chiamarle.
Non ricordo, del viaggio, se non la mia eccitazione.

La scuola era piccola, comprendeva, cioè, non più di
trenta allieve, inglesi, americane e belghe, oltre alle insegnanti
di tedesco, italiano, inglese, francese, alla maestra di musica
eccetera.

Per la prima volta nella mia vita mi fu assegnata una meravigliosa cameretta tutta per me, e ricordo che proprio in
questa stanza mi guardai per la prima volta nello specchio –
operazione che esige la più rigorosa intimità e per la quale,
a dire il vero, non avevo mai provata molta inclinazione. Ini-
ziavo la mia nuova vita in condizioni molto diverse dalla vecchia. Qui non sarei stata una paria, una capra rimasta fuori dal
recinto della salvezza e squadrata con sospetto dalle pecore
metodiste ammassate al sicuro nell'interno. Al contrario, sentivo di partire con tutta la simpatia delle autorità e il rispetto
delle compagne, figlia preziosa di un'amica riverita; e se, ragio-
navo, c'è tanta amicizia tra le signorine francesi e mia madre,

vuol dire che sono al corrente delle sue «convinzioni» e magari le condividono.

«E chi è quel cosino tutto nero?» domandai il mattino dopo, vedendo una curiosa figuretta saltellare frettolosa lungo l'ampio corridoio.

«Oh, quella è la Signorina*, l'insegnante di italiano. Sta dalla parte di Mademoiselle Julie.»

«E pensa che strano!» disse un'altra, «l'insegnante di tedesco è una *vedova*!»

«Sì, ed è tutta per Mademoiselle Cara, *lei*!»

Strane parole! Non vi prestai molta attenzione, tutta presa com'ero, in quei primi giorni, dalle ricche novità che vedevo intorno a me, dallo speciale disordine che imperava, dal chiacchierio e dalle risate, dal parlar straniero, dall'assenza di regole, dai pasti straordinari e squisiti, da un'atmosfera di gaiezza e libertà che era per me come il soffio della vita.

Era il trimestre che comincia in primavera e finisce con l'estate, e davvero mi sentivo rivivere col resto del creato. La morsa paralizzante dell'inverno si allentava, il suolo gelato si scioglieva, il sole splendeva, l'aria era dolce, primule e viole spuntavano nei boschi. La foresta cominciava al di là della strada; quando uscivamo per la passeggiata, bastava attraversarla e subito ci davano il permesso di rompere la fila e disperderci a nostro piacere, a coglier fiori o combinar giochi. Com'erano belli i boschi! Quanto tutto questo era diverso dalle passeggiate in formazione intorno a Stockhome lungo le vie periferiche fiancheggiate di ville, durante le quali non ci era dato dimenticare per un solo istante che eravamo signorine di buona famiglia, che dovevamo camminare al passo e mai at-

---

* Qui e più avanti, sempre in italiano nel testo [*N.d.T.*].

tardarci e non parlare troppo, sebbene parlare fosse l'unica distrazione possibile, dato che intorno a noi non c'era nulla che valesse la pena di guardare.

In quella prima passeggiata mattutina mi fu compagna una ragazza vivace e graziosa che si chiamava Mimi; portava al guinzaglio un grosso San Bernardo che apparteneva alla scuola e al quale aveva il compito di badare. Appena entrate nei boschi Mimi lo lasciò libero e la gran bestia correva e saltava e cercava di farci cadere, e noi, con alte risate e strilli, eravamo felici.

Ma se m'ero goduta la passeggiata, non mi dispiacque rientrare. La prima settimana in una scuola nuova è molto intensa; c'è il programma da discutere, l'orario da stabilire, volti e nomi da imparare a conoscere. Benché fossi una «nuova» presi posto subito con le allieve più anziane. Sapevo il francese meglio di quasi tutte le altre, e avrei quindi frequentato le lezioni dei professori esterni e il corso di letteratura di Mademoiselle Julie. (Mlle Cara, risultò, non teneva lezioni). Avrei cominciato a studiare l'italiano e continuato col tedesco e il latino; avevo il permesso di rinunziare alla matematica.

Fino a questo momento, Mlle Julie e Mlle Cara erano rimaste, per quanto mi riguardava, sulle loro vette olimpiche. Avevo con loro pochissimi contatti e le distinguevo l'una dall'altra solo riflettendo che Mlle Julie era la più vivace e Mlle Cara la più gentile. Una sera la mia amica Mimi, la ragazza del cane, mi disse: «Mlle Julie è andata a Parigi e Mlle Cara ci ha invitate a prendere il caffè nel suo *cabinet de travail*. Tu comincia ad andare. Io ho ancora qualcosa da sbrigare, verrò su tra un momento».

Salii di sopra con una certa apprensione, perché ricordavo l'agghiacciante solennità delle visite nel salotto privato di Miss

Stock. Ma qui, pensai, sarà diverso, probabilmente. Me lo auguravo.

Il *cabinet de travail* di Mlle Cara era al primo piano, quasi porta a porta con la mia camera e proprio di faccia all'appartamento delle due «signorine», dall'altra parte del corridoio. Bussai e fui invitata a entrare. Mlle Cara giaceva sopra un divano, molto graziosa, pensai, e molto invalida. Frau Riesener, china su di lei, stava disponendo uno scialle in modo da coprirle i piedi. Entrando sentii Mlle Cara che diceva: «No, no. Nessuno vuol credere quanto sto male». Poi si volse a me con un sorriso:

«Ah! C'è Olivia. Vieni, vieni, bambina cara. Siediti vicino a me e dimmi che notizie hai dalla tua cara mamma».

Aveva una voce bassa, dolce e carezzevole, ed era, nei modi, tutta gentilezza, tutta sollecitudine. Sia lei che Mlle Julie, conoscendomi fin da quando ero bambina, mi davano sempre del tu. Era una cosa che mi piaceva. C'era, pensavo, in quest'uso, qualcosa che dava alla lingua francese quel tanto di grazia, di tenerezza, di *nuance*, di cui l'inglese, con l'uso esclusivo del *you*, è penosamente privo.

Frau Riesener uscì quasi subito e quando dopo pochi minuti giunse Mimi, ci trovammo l'una e l'altra occupate in mille piccole faccende. Una dovette andare a prendere l'acqua di colonia, l'altra inzuppare un fazzoletto e aiutare l'inferma a posarselo sulla fronte per alleviare l'emicrania; una dovette farle vento, l'altra rimettere a posto lo scialle, che era scivolato. Ma tanta era la sua gratitudine per questi piccoli servigi, che eravamo felici di poterglieli rendere e quel gran daffare ci metteva allegria. Poi dovemmo servire il caffè e cercare in un armadio la scatola dei cioccolatini; poi Mimi fu pregata di mostrarmi l'album delle fotografie scolastiche. Mi divertii soprattutto a guardare le più recenti, perché tra i volti delle «anziane» ce n'erano alcuni che riconoscevo, che erano ancora qui. Ma fu, fra tutti, il volto di una ex allieva ad attrarmi specialmente. Spiccava tra gli altri non già per la bellezza, perché era quasi comune, ma per l'espressione. Non avevo mai visto, così pensai, un viso così aperto, così schietto, così lieto, così intelligente. Ma non riuscivo ad analizzare che cosa m'incantasse a tal punto.

«E questa chi è?»

«Oh, è Laura. Laura ***», rispose Mimi, e fece il nome di un famoso uomo politico inglese. «Sì, è sua figlia; è partita il trimestre scorso.»

Da quel momento, continuando a sfogliare le pagine, era sempre il suo volto che cercavo nei gruppi, e quando lo trovavo esclamavo soddisfatta:

«Laura! Ecco qui Laura!»

«Ti piace?» mi chiese Mlle Cara. «Per conto mio, la trovo francamente brutta. Non ha eleganza. Non ha grazia. Sempre vestita in un modo impossibile. Ma certo ha ereditato una bella intelligenza.»

Mlle Cara era presente in tutte le fotografie, piena, lei sì, di grazia, e di languore, con un gruppo delle allieve più piccole sedute ai suoi piedi.

«E Mlle Julie?» chiesi. «Perché non c'è mai?»

«Oh, non le piace farsi fotografare. È una sua mania.»

E così la serata giunse al termine. Era stata diversa da tutte le mie precedenti esperienze scolastiche ed era scivolata via piacevolmente, pure – pure – ero stata davvero a mio agio, non ero forse uscita dal *cabinet du travail* di Mlle Cara con una strana, impalpabile sensazione di allarme?

Camminando accanto a me per il lungo corridoio, Mimi infilò il braccio nel mio.

«A Mlle Cara Laura non piaceva», disse. «Era la prediletta di Mlle Julie.»

3

Ero a Les Avons da circa una settimana quando una sera dopo pranzo fu annunziato che Mlle Julie ci avrebbe tenuto una lettura ad alta voce.

La Signorina venne correndo da me, gli occhi che le brillavano. Era quasi giovane quanto me e non riuscii mai a vederla come una istitutrice o una superiore.

«Oh, che piacere, Olivia mia!* Vedrà, vedrà com'è bello!»

Ci radunammo nella grande sala di musica, in abito da sera, con o senza il ricamo, a nostra scelta. Con mia sorpresa e sollievo, nessuno ci impose nulla. Dopo che ci fummo sedute, la piccola Signorina prese a volteggiare in mezzo a noi, chinandosi su quelle che ricamavano e distribuendo consigli, aiuti, lodi o rimproveri. A me toccarono questi.

«Non le piace ricamare!» gridò. «Pigrona! Venga a vedere il mio!»

Mi guidò fino a uno sgabellino sistemato proprio accanto a un'alta poltrona dal dorso diritto, riservata evidentemente a Mlle Julie, e mi mostrò il suo lavoro, così delicato, così lieve e perfetto, fatto d'un tessuto così squisito e adorno di punti tanto minuti che mi sfuggì l'esclamazione:

«Ma io non sono una fata!»

---

* In italiano nel testo.

«Stavamo ancora ridendo quando Mlle Julie entrò; passando diede un'occhiata alla Signorina.

«Piccola vanitosa!» disse, e prese posto nella poltrona.

La Signorina si fece di fuoco, raccolse il suo ricamo con aria avvilita e stava per sedersi sul suo sgabello quando entrò Frau Riesener.

«Mlle Cara la prega di andare a prepararle la tisana, mademoiselle Baietto», disse. «Lei è l'unica che la sappia fare come si deve.»

«Oh», disse la Signorina, «ma le avevo chiesto prima di pranzo se pensava di averne bisogno, e mi aveva detto di no.»

«Insomma», disse Frau Riesener, «adesso la vuole.»

La Signorina lanciò un'occhiata implorante a Mlle Julie, ma questa la guardò seria e disse:

«Va', bambina mia».

Poi, mentre la Signorina usciva a malincuore, prese il libro e cominciò a sfogliarne le pagine. Frattanto io ero scivolata di nuovo verso il mio posto all'altro capo della sala.

«Vi leggerò *Andromaque* di Racine», disse Mlle Julie, «ma prima di cominciare vi farò alcune domande. Qualcuna di voi ha già sentito parlare di Andromaca?»

Nessuna, evidentemente, ne aveva mai sentito parlare. Nessuna, in ogni modo, ruppe il silenzio.

«Via», disse Mlle Julie, «possibile che siate tutte così ignoranti?»

Dopo un'altra pausa, raccolsi tutto il mio coraggio e riuscii a squittire:

«La moglie di Ettore».

«Sì. E chi era il padre di Oreste?»

Risposi senza sbagliare anche a questa domanda. (Non avevo forse sfogliato, dai dodici anni in su, la versione di

Omero di Pope, completandola con la lettura di innumerevoli storie di mitologia greca?)

Continuò a farmi domande e io a tutte risposi, finché arrivammo a Ermione.

«Ed Ermione?» domandò.

«Non ho mai sentito parlare di Ermione.»

«Ah!» disse lei. «Allora questa sera imparerai a conoscerla e spero non la dimenticherai mai più. Ma dato che hai saputo rispondere così bene, vieni a sederti vicino a me.»

Mi fece cenno di alzarmi e di prendere il posto della povera Signorina, sullo sgabello al suo fianco. Poi, dopo un breve preambolo sull'importanza della mitologia, ci spiegò rapidamente la situazione alla corte di Pirro, prese il libro e cominciò:

«*Oui, puisque je retrouve un ami si fidèle...*»

Mi sono spesso domandata quanta parte abbia avuto Racine nell'accendere la fiamma che prese ad ardere in me quella sera, e quanta parte la vicinanza fisica. Se non avesse letto precisamente quella tragedia o se non mi avesse per caso chiamato a sedere accanto a lei, a contatto immediato con lei, forse la sostanza infiammabile che senza alcun sospetto portavo in me sarebbe rimasta fuori dal raggio della scintilla animatrice e non si sarebbe mai incendiata. Ma forse no; presto o tardi doveva accadere.

Davanti a lei, sul tavolo, c'era una lampada che illuminava il suo libro e il suo volto. Seduta al suo fianco, guardandola di sotto in su, la vedevo in piena luce e quasi di profilo. E mentre ascoltavo la guardai per la prima volta. Né ricordo quale delle due cose facessi più avidamente – guardare o ascoltare. All'improvviso mi balenò che questa era la bellezza – la bellezza assoluta – una cosa di cui avevo letto e sentito parlare senza capire, una cosa accanto alla quale ero passata forse cento volte con occhi indifferenti e ciechi. Di fanciulle graziose, certo, ne avevo viste, e di bellissime, ma non avevo mai badato troppo al loro aspetto, non mi avevano mai interessato in modo particolare. Ma questo era diverso. No, non era diverso. Era soltanto destarsi per la prima volta a una cosa – la bellezza fisica. Né mai, da allora, fui più cieca.

Chi può descrivere un volto? Chi può sottrarsi alla tentazione di descriverlo? Ma queste descrizioni si risolvono in un inventario di particolari. Per esempio: un ovale piuttosto largo, una fronte bassa, capelli scuri con qualche striatura grigia, divisi nel mezzo, appena ondulati sulle tempie e raccolti in una crocchia di riccioli sulla nuca. Curiosa acconciatura che non ho mai visto se non nei quadri o nelle statue. I tratti erano regolari, definiti esattamente ma delicatamente, il naso, le labbra il mento ben disegnati e fermi. Gli occhi erano grigi, a volte chiari e traslucidi, a volte foschi, impenetrabili, accesi. Devo ringraziare Racine se quella sera mi fu dato di intravedere ciò che erano capaci di esprimere.

Strano il rapporto che si crea tra lettore e ascoltatore. Tutte le barriere, come per miracolo, sembrano crollare. L'ascoltatore si vede improvvisamente offrire libero accesso in una città alle cui porte non si sarebbe mai sognato di bussare. Gli viene concesso di entrare nella cerchia proibita. Può comunicare agli altari più sacri con un'anima alla quale non ha mai osato né oserà mai accostarsi, può guardare senza timore o vergogna uno spirito che ha lasciato cadere le sue armi, i suoi veli, ogni prudenza, ogni riserbo. Colui che non è amato ha facoltà di spiare con l'occhio e l'orecchio e apprendere infine ciò che in nessun altro modo potrà mai conoscere e ch'egli brama di sapere a costo della vita stessa – come il volto amato si atteggi nella passione, come lo sdegno increspi quei tratti, e l'ira e l'amore. Come la voce dell'amato sappia tremare e sciogliersi nella tenerezza o spezzarsi nel tormento della gelosia e del dolore... Oh, ma è troppo presto per dire queste cose! Sono riflessioni venute dopo.

Ho sentito leggere Racine da molti, e molti erano uomini famosi, ma non ho mai sentito nessuno leggerlo bene come Mlle Julie. Lo leggeva in fretta, con semplicità, senza gli artifici e i vezzi degli attori, senza gonfiare la voce, senza gesti, solo alzando ogni tanto la mano che stringeva un lungo tagliacarte d'avorio. Ma la solennità del suo atteggiamento e della sua voce mi trasportò di colpo alla corte di principi e in presenza delle grandi emozioni:

> *Avant que tous les Grecs vous parlent par ma voix,*
> *Souffrez que j'ose ici me flatter de leur choix,*
> *Et qu'à vos yeux, Seigneur, je montre quelque joie*
> *De voir le fils d'Achille et le vainqueur de Troye...*

Le vocali sonore, i periodi maestosi, i nomi possenti procedono incalzanti; si è come trasportati da un'onda di musicale grandezza; si seguono col fiato sospeso le evoluzioni, i volteggi, le avanzate e ritirate del tragico quartetto, via via che percorre il suo cadenzato cammino verso la morte e la follia, attraverso tutte le vicissitudini dell'irresolutezza, della passione e della gelosia; e il giovane ascoltatore ne esce con l'animo scosso e stremato, il primo grande squarcio ormai aperto nel velo che nasconde le emozioni degli uomini e delle donne dagli occhi dell'innocenza.

Posso dire di aver capito la tragedia a quella prima lettura? Certamente no. Non avrò trasfuso in questa rievocazione l'esperienza raccolta durante anni? Senza dubbio. Ma è certo che allora mi si rivelarono per la prima volta la tragedia, il terrore, la complicazione e la pietà dell'umana vita. Strano che per un'adolescente inglese quella rivelazione sia venuta da Racine invece che da Shakespeare. Pure fu così.

Quella notte andai a letto in preda a una specie di stordimento, dormii come se fossi stata drogata e al mattino mi destai a un mondo nuovo – un mondo elettrizzante – un mondo in cui ogni cosa era violenta e affilata, ogni cosa era carica di strane emozioni, ammantata di misteri straordinari, e in cui io sembravo esistere solo come nucleo interiore di un fuoco palpitante.

La passeggiata di quella mattina, la bellezza della foresta, il cielo, la delizia dell'aria, la voluttà di correre – per la prima volta assaporavo queste cose consciamente.

«Capisco tutto», gridavo a me stessa, «finalmente ho capito. La vita, la vita, la vita, questa è la vita, piena fino all'orlo di ogni estasi e ogni tormento. È tutta per me, è mia da prendere a piene mani, da consumare, da prosciugare.»

E le lezioni! Ci andavo, ora, con rinnovato ardore. Certo, ero stata fin qui un'allieva abbastanza diligente; studiavo e imparavo volentieri, anche se un po' meccanicamente. Ma questo era molto diverso – era qualcosa che non avevo mai provato. Ogni pagina della grammatica latina sembrava celare un segreto folgorante di cui dovevo impossessarmi o morire. Le parole! Che stupefacenti miracoli! Anche le più semplici erano circonfuse da un'aura musicale e romanzesca che mi trasportava nel paese delle fate. La geografia! Fantasticare sui fogli dell'atlante! Ecco le pagode! E là il Nilo! Le giungle!

I deserti! Le isole dei coralli nel Pacifico con l'anello delle lagune! Le nevi eterne dell'Himalaya! L'aurora boreale fiammeggiante sul Polo! La continua rivelazione di magici mondi! Com'era possibile che li avessi finora ignorati? E la Storia? Quegli uomini! Quegli eroi! La loro espressione, il loro sorriso mentre andavano al rogo o alla forca! E perché erano morti? Per la fede, la libertà, la verità, l'umanità! Che cosa rappresentavano in realtà quelle parole? Non dovevo concedermi un attimo di riposo finché non l'avessi scoperto. E il popolo! Il povero gregge del popolo! Anche a costoro bisognava pensare. Non ancora. Ancora non oso. Avrò tempo a volontà più tardi. Non sono ancora abbastanza forte per affrontare seriamente quelle tremende e inutili sofferenze. Per ora devo tenerle in disparte. Per ora devo diventare forte. Devo nutrirmi al bello e al sublime se voglio diventare forte. E prima di tutto quel viso. C'era quel viso da contemplare. Lontano, in fondo alla tavola. Mentre passava sulle scale, o usciva improvvisamente da una porta. Mentre parlava a qualcuno. Mentre ascoltava qualcuno. E talvolta, di rado, mentre leggeva ad alta voce. Ma dunque non avevo mai guardato un volto? Perché mai la sola vista di questo fermava il battito del mio cuore? Che aveva di così straordinario, di così affascinante per chi lo osservava? Dava più gioia quand'era immobile, quando si poteva scolpire nella propria memoria la linea di quel profilo così bello, così grave e austero, l'arco delicato del labbro, l'incavo lieve, quasi impercettibile e indicibilmente dolce, della guancia, l'ombra delle ciglia sulla pelle pallida, la curva dei capelli neri sulla fronte? O non invece quando tante espressioni lo animavano, e in così rapida successione, che l'occhio e il cuore non facevano mai in tempo a registrarle tutte? Da quel volto il riso non era mai assente per molto, in una gamma che andava dalla increspatura di un sorriso a un'onda, a una tempesta di gaiezza, e passava come il bagliore di un fulmine, un turbine di colori, trasformando, vivificando ogni lineamento. Così guardavo, di lontano. Specialmente durante i pasti, dove sedevo molto distante da lei ma dal lato opposto della tavola.

C'erano tre tavole nella grande sala da pranzo; a quella di mezzo le due direttrici sedevano una di fronte all'altra, come si usa all'estero, al centro dei due lati più lunghi. Gli ospiti o i professori esterni sedevano a fianco delle signorine. Piatti speciali venivano di solito serviti a questi commensali di riguardo, e se ne avanzava qualche porzione, la cameriera doveva distribuirli fra di noi. Una volta Mlle Julie interrogò le ragazze che erano appunto state servite in tal modo:

«Allora, ti è piaciuta la specialità? Su, parla sinceramente. Più del vostro roast-beef inglese? No...? Sì...? Non lo sai? Ah, questi inglesi! Non hanno gusto. E tu Olivia, come l'hai trovata?»

Nella mia risposta «Squisita!« c'era tanto fervore che si mise a ridere:

«Benissimo, finalmente abbiamo una buongustaia. Ma non basta che ti piaccia. Devi anche saper distinguere. C'era qualcosa di quel piatto che secondo te non andava? C'era modo di migliorarlo?»

«Mi pare...» mormorai.

«Sì, coraggio!»

«Ecco, forse c'era un po' troppo limone.»

«Brava!» gridò. «Meriti un incoraggiamento. Avrai una promozione.»

E al pasto successivo, dopo un'ansiosa ricerca, trovai il mio tovagliolo accanto a quello di Mlle Julie. E là, alla sua destra, sedetti da allora fino alla fine del corso, salvo quando un ospite o un professore ci separava. E quasi sempre mi serviva lei stessa questa o quella specialità, chiamandomi «Mlle Gourmet», chiedendo il mio parere, ridendo del mio entusiasmo, accusandomi scherzosamente di essere ancora troppo «inglese» perché non volevo bere vino. «Ma forse», diceva, «il nostro *vin ordinaire* non è abbastanza buono per te?» E forse questa appunto era la ragione.

Ma non avevo bisogno di vino per inebriarmi. Tutto, vicino a lei, mi inebriava. E ora per la prima volta mi trovavo entro il raggio della sua conversazione. La conversazione di Mlle Julie, come venni a scoprire in seguito, era rinomata, e non solo tra noi allieve, ma tra uomini illustri, di cui sussurravamo i nomi.

In casa mia ero stata abituata, o avrei dovuto essere abituata alla buona conversazione. Ma in casa non si sta mai attenti. C'erano sempre gli altri ragazzi che in un modo o nell'altro rappresentavano una distrazione. E si finiva per vivere sul loro piano, nel loro turbine. Erano troppo invadenti perché fosse possibile coltivare qualsiasi interesse per gli adulti e per la loro conversazione. Che del resto, quando si riusciva ad ascoltarla, era per lo più di carattere politico, oppure assumeva la forma di una disputa. Mia madre e mia zia, che veniva spesso da noi, sostenevano interminabili e accese discussioni, in cui mia madre aveva invariabilmente ragione e mia zia si batteva con passione e incoerenza incredibili. Per noi questi discorsi erano noiosi e talvolta esasperanti. Mio padre, che ai nostri occhi appariva un uomo d'infinita saggezza e umorismo, non parlava molto; amava spiegarci problemi scientifici o matematici, oppure inventava e ci faceva partecipare a qualche gioco assolutamente stravagante. Di tanto in tanto lasciava cadere un apoftegma tagliente e oscuro, di cui facevamo tesoro come di un proverbio famigliare, e sapeva placare il più acceso battibecco con una uscita del tutto assurda e fuori luogo. Quanto alle persone che frequentavano casa nostra, e molte erano grandi ingegni, le ammiravano senza ascoltarle. Il loro mondo sembrava appena confinare col nostro.

Com'era diverso qui! Mlle Julie era piena di spirito. La sua brillantissima conversazione sfrecciava qua e là con l'agilità e la grazia di un colibrì. Affilata e pungente, sapeva trafiggere una vittima senza pietà. Nessuno era fuori tiro, e chi rideva con lei poteva a sua volta, un attimo dopo, sentirsi colpire da un ironico strale. Ma distribuiva i suoi epigrammi con una gioia così evidente che bastava un minimo senso dell'umorismo per condividerla, e proprio da lei, del resto, imparai quanto squisitamente la lingua si adatti allo spirito francese. Ma la sua conversazione non era fatta soltanto di epigrammi. Si sentiva, dietro, quell'ardore contagioso, quello slancio vivificante che erano il segreto del suo successo come insegnante. Non c'era nulla in cui non fosse capace di infondere queste sue qualità. Qualsiasi argomento, per quanto tedioso avesse potuto sembrarci nelle mani di un altro, nelle sue si animava istantaneamente. Con la cultura tradizionale di una famiglia protestante francese, e in contatto con eminenti uomini e donne in molti Paesi, Mlle Julie aveva poi una intelligenza aperta e spontanea, capace di guardare le cose da ogni punto di vista, sensibile allo stimolo del paradosso. In sua presenza, anche la più squallida delle sue allieve si destava a una sorta di vita: e alle più intelligenti comunicava un fuoco prometeico che riscaldava e coloriva tutta la loro esistenza. Sedere a tavola alla sua destra costituiva di per sé una educazione.

4

Ma non si deve credere che gli studi più ortodossi venissero trascurati o che mancasse ogni altra compagnia. Quattro o cinque delle ragazze più anziane mi erano simpatiche e congeniali. Formavamo un gruppo a parte, «le intelligenti», quelle che intervenivano durante le lezioni, che seguivano il corso di letteratura e le letture di Mlle Julie, che erano prescelte per svolgere dei temi che venivano poi inviati ai professori di Parigi. Questi temi o *devoirs*, come li chiamavano, erano il gran tormento e la grande passione della nostra vita. Dopo la lezione del professore dovevamo scrivere un *résumé* della sua esposizione, o svilupparne questa o quella parte. Eravamo tenute a riempire quindici o sedici pagine di quaderno, avevamo accesso a una biblioteca discretamente fornita, e dovevamo dedicare a questo lavoro quasi tutto il pomeriggio del giovedì e della domenica, in un piccolo studio riservato espressamente per *les grandes*. Quando il *devoir* era finito, veniva consegnato il venerdì o il lunedì mattina a Mlle Julie, che lo esaminava e se lo giudicava degno lo trasmetteva al professore. Ma erano le osservazioni di lei che ci stavano a cuore; il professore, immagino, doveva essere in genere un giovanotto ancora fresco di studi, tagliato in uno stampo universitario, e ben poco a suo agio nei rapporti con questa strana collezione di *jeunes filles* giunte da barbari Paesi. In ogni caso, noi lo gratificavamo del nostro supremo disprezzo, e a dire il vero egli si trovava in una posizione di schiacciante inferiorità, costretto suo malgrado a sostenere il confronto con un intelletto così vivo, così ricco di esperienze come quello di Mlle Julie, con una personalità così eccezionale, con una così prepotente bellezza.

Ricordo il mio primo *devoir*. Era su Corneille e sulla *Querelle du Cid*. Per quanto mi sforzassi, non riuscii ad allungarlo oltre le sei pagine. Aridi fatti e insipide osservazioni fu tutto ciò che seppi spremere dal mio tema. Non avevo la più lontana idea di come si lavori, di come si pensi, di come si coordini. Ero alla disperazione.

Ricordo la sera che me lo restituì. Insufficiente! Accadde dopo pranzo. Alcune di noi si erano raccolte in crocchio nel lungo e ampio corridoio, pavimentato a scacchi di marmo bianchi e neri, che portava all'ingresso e che ci era consentito di usare come una sorta di ponte di coperta per il passeggio. Era una di quelle sere in cui Mlle Julie usciva – per un pranzo in città o un ricevimento a Parigi, un invito che richiedeva il vestito da sera. Occasioni simili erano sempre solenni, e le sue fedelissime solevano raccogliersi per vederla sfilare in tutta la sua magnificenza e darle la buona notte mentre passava. Il suo strascico scese radendo la scala, la Signorina le correva appresso col ventaglio, i guanti, la borsa. Il suo mantello da sera era spinto indietro e s'intravedeva il fulgore del collo nudo, dei pizzi e delle sete.

«*Tiens!*» disse vedendomi. «Ti stavo cercando. Ho qui il tuo *devoir. Un peu pauvre!*» Me lo gettò e proseguì.

«*Un peu pauvre!*» Sì, era così! Era proprio così! Povero! Povero! Fu il mio primo incentivo a lavorare, a dissodare la mia terra, a estrarne tutte le ricchezze che potevo, per mostrare – per mostrarle – che in fin dei conti non ne ero totalmente priva.

Faceva parte del programma della scuola che di tempo in tempo le ragazze venissero condotte a Parigi, a visitare la città, le chiese, i musei e così via, e in certe speciali occasioni a un concerto o a teatro. Quando Mlle Julie guidava la spedizione non eravamo mai più di due o tre e io ero sempre tra queste. Talvolta, massima festa, andavamo a un *matinée* al Français – sì, sempre al Théâtre Français. A quei tempi la sua gloria era ancora intatta. La grande tradizione era ancora rispettata, indiscussa. Certo, la sfiducia nelle sue doti, il sospetto verso il suo immenso potere, la fede in nuove dottrine, nuovi valori, nuovi metodi, già andavano addensandosi all'orizzonte, e forse già prevalevano sull'altra riva della Senna, dove Antoine cominciava ad alzare la testa; ma fu soltanto quando questi acidi varcarono le sacre porte che si rivelarono fatali. Ai tempi della mia giovinezza, il prestigio della Comédie Française era ancora inattaccabile. I *Sociétaires* portavano la testa alta e c'erano tra loro uomini illustri. L'arte consumata della recitazione apparteneva a loro per diritto divino e imprescrittibile, e l'ombra del dubbio, o la paura dell'insuccesso, o la mancanza di entusiasmo, o l'invidia per i successi altrui ancora non avevano insinuato il loro veleno nella grande istituzione.

E così la prima volta che, seduta accanto a Mlle Julie in una *baignoire*, sentii i tre colpi fatali, e vidi aprirsi il grande sipario, fu per me un momento di piacere purissimo, indimenticabile. S'era dischiuso su una scena di garbata fantasia, di romantico cinismo, di squisita eleganza. Delaunay impersonava uno degli eroi di Musset, la Reichember era l'*ingénue*, Got l'*abbé*, Madeleine Brohan (superstite di un passato ancora più glorioso) era la vecchia marchesa. Mirabili, mirabili creature, di cui ogni parola, ogni movimento erano spirito e grazia, e che distillavano nel cuore del pubblico, goccia a goccia, la meravigliosa sensazione della rifinitura perfetta!

Poi ci fu l'*entr'acte*. Passeggiamo su e giù per il lungo, ampio *foyer* tra il brusio animato dei parigini; a un'estremità c'era la statua di Voltaire, demonietto in poltrona, all'altra quella di Molière, stanco e malinconico; su uno dei due lati più lunghi una fila di finestre si affacciava sul traffico della piazza; lungo la parete opposta erano allineati altri busti delle divinità della Maison – tra le quali una donna. Poi tornammo nella *baignoire* l'animo disposto a cose più elevate. Questa volta il sipario si aprì sulla corte dei Cesari; si recitava *Britannicus* e Mounet Sully era il giovane Nerone. Vedemmo crescere sul suo volto le più nefande passioni, sentimmo la sua voce, sempre più rauca, sempre più rapida, gonfiare di lussuria, odio, crudeltà; quando il tentatore gli strisciò alle spalle per versargli nell'orecchio l'insidioso veleno, vedemmo il conflitto interiore riflettersi nei suoi tratti, nella sua posa quasi immobile; vedemmo le barriere della virtù crollare a una a una, e l'onda sempre più alta del male prendere il sopravvento; vedemmo il mostro ancora tenuto in rispetto dalla frusta di Agrippina, lo vedemmo furtivo e stravolto dopo il delitto.

> ...*ses yeux mal assurés*
> *N'osant lever aux cieux leurs regards égarés*

fuggire, braccato, la presenza di sua madre per meditare sulla tremenda profezia di lei.

Giorni d'oro erano per me quelli in cui Mlle Julie mi portava con sé a Parigi, da sola. D'oro ma faticosissimi. Mi prendeva per mano e mi trascinava di corsa per le gallerie del Louvre, parlando ininterrottamente – i quadri sembravano eccitarla – finché non si arrivava nella sala da lei prescelta. Qui si sceglieva un capolavoro e restava in silenzio a contemplarlo, lo sguardo fisso, intento. Ricordo alcune delle opere davanti a cui si fermava: il *Concerto* di Giorgione, *L'indifférent* di Watteau, i *Pellegrini di Emmaus*, un Chardin, un Corot. Io restavo accanto a lei e cercavo di capire. Qualche volta mi diceva: «Ora va' a guardare quelli che preferisci *tu*». Io prendevo queste parole per una sorta di congedo, ma i miei quadri preferiti erano sempre quelli che potevo guardare senza perdere di vista lei. Dopo qualche tempo mi veniva vicino, dava un'occhiata, e diceva, con una certa sufficienza «*Pas si mal!*» (Ma non immaginava le limitazioni di cui soffriva la mia scelta).

Poi ricominciava a parlare, a se stessa più che a me: qual era il fattore comune che faceva un capolavoro di ognuno di questi quadri? Glielo sapevo dire? E com'era possibile, da sostanze così materiali come tela, olio, pigmenti, trarre effetti tanto immateriali? Le arti plastiche! Avevo mai riflettuto a quanto fossero diverse dalle altre forme d'arte, dalla letteratura, l'arte delle parole? Dalla musica, la più pura – o forse la più impura – delle arti? Avevo osservato che la pittura di Watteau era la pittura di un uomo malato, di un uomo che doveva rifugiarsi nei sogni per trovar sollievo alle sofferenze del corpo? Che le sue gaie e celestiali visioni erano il rifugio di un uomo che sputava sangue? Che nel *Viaggio a Citera* non c'erano corpi ma soltanto l'evanescenza di luci e colori? E tuttavia la stessa arte – la pittura – aveva creato i *Pellegrini di Em-*

maus. Sì, lo sapeva, ero una piccola atea, ma dovevo pur imparar qualcosa sulla divinità, sul significato del Cristianesimo, dal cupo splendore di quel quadro. E così via. Semi gettati a caso nel vento, alcuni destinati a metter radici, altri, purtroppo, a perdersi per sempre.

E poi mi sospingeva in una pasticceria elegante e mi rimpinzava di dolci e cioccolatini, senza del resto rinunziare alla sua parte. Dopo si andava talvolta a far visita a qualche suo amico: a un ex *président du conseil*, di cui la moglie era stata sua allieva (e mi faceva colpo sentirlo ancora chiamare Monsieur le Président) o alla vedova di un professore povero che penava ad allevare tre o quattro bambini nel Quartiere Latino; o nello studio di un pittore famoso; o al giorno di visita di un accademico di Francia. Dovunque si presentasse, era festeggiata, onorata, vezzeggiata; diventava immediatamente il centro della conversazione, delle risate, della cordialità generale. Io me ne stavo zitta nel mio angolo e pensavo a questi francesi, alla prontezza del loro spirito, al loro inestinguibile interesse per le cose dell'intelletto, alla profonda serietà che c'era sotto questa brillante superficie.

Quando lasciavamo la casa Mlle Julie mi tracciava un profilo dei suoi inquilini, mi raccontava le tragedie, le lotte, i successi e i fallimenti di cui li sapeva protagonisti. Mi disse della ragazza che rifiutava di mangiare e stava per morir di fame «ma riuscii a guarirla tenendole la mano e lasciandola parlare due ore al giorno... ci volle molta pazienza». E del ragazzo che si era sparato per amore, credeva lui, ma in realtà perché aveva lavorato troppo per sua madre, poverissima. «Ah! quella è stata veramente una cosa terribile! Non c'era modo di guarirlo, quel dolore!» Della disperazione di una giovane moglie cui la difterite aveva tolto tre bambini e il marito in una settimana, e che pochi mesi dopo aveva sposato il migliore amico del marito. Della giovane e bellissima e intelligentissima Margaret X..., andata sposa di recente a un grande scienziato, che era inoltre un nano gobbo. «Povera bambina! Ma basta guardarla negli occhi per vedere che non è infelice. La moglie mistica!»

Intorno a me, da ogni parte, si aprivano mondi nuovi e sorprendenti. A uno a uno, i veli si alzavano lentamente dalla vita, scoprendo altri veli, altri più reconditi misteri.

E lo sfondo, la messinscena di quelle giornate, era la bellezza adorabile di Parigi. Io, che ancora non m'ero destata alla bellezza di Londra, sentivo quella di Parigi invadere tutto il mio essere. Per quanto poco la conoscessi, per quanto poco una ragazza inglese potesse conoscerla, mi appariva tuttavia come la quintessenza e il simbolo di tutto ciò che più contava, per me, al mondo. La luce incomparabile di cui era bagnata, lo scorrere cordiale del fiume nel suo cuore stesso, i nobili palazzi, i *quais*, i ponti dove si guardava ora a oriente ora a occidente, senza saper decidere quale dei due panorami fosse il più incantevole, il più commovente, se i boschetti dei Champs Elysées o le torri di Notre Dame – tutto ciò mi mandava in estasi. E qualche volta percorrevamo in carrozza la vasta distesa di Place de la Concorde, col suo folle vortice di vita, le sue fontane, il suo obelisco, e in un angolo la statua di Strasburgo, coperta da un sudario funebre. Quanto mi pesavano sul cuore quei veli di *crêpe*! Proprio nel mezzo di tutta quella gaia frenesia sorgeva un monumento di dolore, un ricordo di morte e sconfitta; bisognava distogliere lo sguardo, bisognava guardare laggiù, a ovest, dove il cielo, in distanza, diventava d'oro dietro l'Arc de Triomphe. Sì, il sole tramontava, ma trionfante, glorioso, e riversava sul mondo, dandogli addio, una tenerezza inesprimibile. Poi tutta Parigi si illuminava; a uno a uno, e io pensavo alle lucciole, i lampioni si accendevano tra gli alberi. Ancora un minuto, e tutto il *boulevard* divampava. Un tornado di animazione infuriava intorno a me. Teatri, caffè, *music halls*! Quale mai febbre, quale ebbrezza s'era impossessata della folla? Avrei voluto sapere, avrei voluto correre con loro verso gli stessi piaceri, bere gli stessi sorsi di vita e fervore. Ma no; non ancora. Ero solo una ragazzina, e poi era tempo di tornare a casa. C'era più di un'ora di treno e saremmo arrivate molto tardi.

A quell'ora il treno era di solito vuoto. Mlle Julie si appoggiava all'indietro in un angolo dello scompartimento male illuminato e io amavo sedere di fronte a lei e guardarla. Riuscivo spesso a farlo senza essere indiscreta, perché teneva gli occhi chiusi. No, non dormiva, era stanca. Guardavo le ciglia scendere sulle guance, le morbide palpebre in riposo. Era, la sua, l'aria di una persona stanca? Non tanto stanca quanto triste. Non tanto triste quanto seria. No, non c'era amarezza nella piega all'angolo della bocca, ma una straordinaria dolcezza, una straordinaria gravità, una straordinaria nobiltà. A che cosa pensava? Dietro quelle palpebre chiuse, quali immagini trascorrevano? Com'era stata la sua vita? Aveva sofferto? Doveva aver sofferto, per avere una espressione così grave. Aveva amato? Chi aveva amato? In quei momenti la passione che mi divorava era, penso, la curiosità. Una volta, mentre appunto così la stavo osservando, aprì gli occhi all'improvviso e mi colse. Il suo sguardo sostenne per un istante il mio, e io ero troppo affascinata per distoglierlo. I suoi occhi erano penetranti, non ostili, ma mi spaventarono. Mi stava frugando. Che cosa vide?

«Vieni», disse alla fine. «Vieni a sederti vicino a me.»

Credo che lo disse per liberarsi del mio sguardo intollerabile. Quand'ebbi obbedito, posò la sua mano sulla mia per la durata di un palpito. Voltai il palmo avido per stringergliela, ma lei la ritirò pian piano e tornò a immergersi nel suo angolo e nelle sue fantasticherie.

5

Solo dopo essermi bene inoltrata nel mio primo trimestre, così ricco di novità e di distrazioni, cominciai a rendermi conto che nell'atmosfera dell'Istituto regnava un certo disagio.

Finora ho detto molto poco di Mlle Cara, ma anch'essa esercitava una influenza pervasiva – l'influenza di un'invalida. «Vedi», mi spiegarono all'inizio le ragazze, «non è abbastanza forte, non può fare gran che nella scuola. Può solo occuparsi delle più piccole.» E questo non tutti i giorni: solo quando si sentiva bene. In quei giorni, l'orario veniva allegramente trascurato e tutto passava in seconda linea – lezioni, passeggiate, esercitazioni, tutto veniva gettato a mare. Quando risuonava il grido, «*Les petites pour Mlle Cara!*» era una mandria impazzita che si precipitava da lei. Mlle Cara aveva i suoi sistemi per lusingarle, vezzeggiarle e farle divertire. Ma capivo che non tutti ne erano soddisfatti. Una simile irregolarità scombinava ogni cosa. I corsi ne risentivano. Certe insegnanti, che avrebbero dovuto godersi la loro giornata di libertà, restavano a disposizione, e potevano esser chiamate da un momento all'altro, poiché non di rado accadeva che l'ora di francese delle piccole terminasse repentinamente così com'era cominciata. Le vedevamo allora uscire furtive dalla stanza di Mlle Julie con volti ansiosi. «L'emicrania!» sussurravano. E talvolta, «Oggi ha pianto di nuovo». In quei giorni Mlle Cara non si faceva vedere a tavola e Mlle Julie, visibilmente preoccupata, parlava seccamente o taceva, terminava in gran fretta il dessert e dava il segnale di congedo prima che avessimo finito l'ultimo boccone.

«Che cos'ha Mlle Cara?» domandai alla Signorina.

«Nessuno lo sa. Per conto mio, non ha nulla. Quando vuole, sta bene come noi. Durante le ultime vacanze non ha avuto una sola volta l'emicrania. Non rinunciava a niente, teatri, concerti, passeggiate. Era sempre in piedi, sempre fuori.»

«Forse ha esagerato.»

«Forse. Ma il giorno stesso che Mlle Julie è tornata, è tornata anche l'emicrania.»

«E non fa venire un dottore?»

«Qualche volta. Ma non le prescrive mai niente di preciso. Un sonnifero, una pozione. Mlle Julie dice sempre: "Mi ha assicurato che non è nulla". Ma si preoccupa lo stesso. Per conto mio penso...»

«Che cosa?»

«Che lo faccia apposta.»

«Ma a che scopo?»

«Per farla stare in ansia. E poi...»

«E poi?»

«Frau Riesener...»

«Sì?»

«La incoraggia.»

«Perché?»

«Lo so io il perché... Ma abbiamo già parlato troppo. Mi deve ancora recitare il suo sonetto.»

E io cominciavo:

Tanto gentile e tanto onesta pare
La donna mia quand'ella altrui saluta
Ch'ogni lingua divien, tremando, muta,
E gli occhi non l'ardiscon di guardare.

Era facile imparare quei versi.

Quale potesse esserne la ragione, era fin troppo chiaro che Frau Riesener e la Signorina si detestavano. Capeggiavano, per così dire, due fazioni rivali: le «Cara-iste» e le «Julie-iste». Sì, era proprio così. Le «Julie-iste» gravitavano intorno alla Signorina e imparavano l'italiano, le «Cara-iste» verso Frau Riesener e imparavano il tedesco.

«Ho vinto la scommessa», disse Nina a Mimi, una mattina. «Era una scommessa su di te, Olivia.»

«Davvero? Ditemi subito!»

«Mi secca di aver perso», disse Mimi.

«Sì, appena ti ho vista, ho capito che saresti stata una Julie-ista. Le avevo dato una settimana, vero Mimi?»

«Sì», disse Mimi, sconsolata. «Hai vinto tu.»

E così ero una Julie-ista. Non mi piaceva gran che, quel termine. Ma era verissimo, non mi ci era voluto più di una settimana per scegliere tra le nostre due direttrici. Eppure Mlle Cara era di una gentilezza straordinaria. Spesso mi invitava con Mimi e altre due o tre ragazze a prendere il caffè nel suo *cabinet de travail*. Mi chiamava con nomignoli carezzevoli, mi parlava della mia cara mamma e dei miei fratellini e sorelline, mi diceva di aver saputo che ero tanto intelligente, che avri fatto onore alla scuola. Ammirava i miei vestiti. Era tutta dolcezza e tenerezza, eppure mi metteva a disagio. Dopo qualche tempo le visite al *cabinet de travail* mi divennero insopportabili. Le moine e le lusinghe di Mlle Cara mi davano ai nervi. Un giorno mi gettò uno sguardo di rimprovero e disse:

«Tu non hai simpatia per me, *ma petite*. Mi sai dire perché? Forse non sono stata gentile con te?»

«Oh, Mademoiselle», gridai con orrore, «come può pensare questo? Lei è stata molto, molto buona con me. E le sono riconoscente, davvero.»

«Vattene!» disse lei bruscamente. «Vattene in biblioteca, visto che è il posto che preferisci.»

E allora compresi che era vero. Non avevo simpatia per lei. Al *cabinet de travail* di Mlle Cara preferivo, e di gran lunga, la biblioteca, anche se là non ero lusingata o vezzeggiata, anche se a volte venivo trattata severamente, a volte ignorata, e a volte sollevata verso vette sublimi di entusiasmo, passione, estasi.

6

Il mio soggiorno a Les Avons durò tre trimestri, ma non riesco a dividere in trimestri il crescere della mia esperienza, né sono sempre in grado di ricordare esattamente la successione degli eventi che ebbero importanza nella mia storia. Per esempio, quando fu che Laura venne a trovarci? Dopo le vacanze estive o dopo quelle di Natale? Ma per me le vacanze non contavano. Erano semplicemente tratti di tempo da attraversare – pause durante le quali continuavo senza dubbio a crescere, a svilupparmi, a formare il corpo e la mente, ma senza averne coscienza. Durante le vacanze non mi sentivo realmente vivere, mi pareva di essere qualcuno che recitava una parte e fingeva di esser presente, che fingeva di essere me, mentre nel frattempo il mio vero io era altrove.

Non che fossi infelice, durante quel primo trimestre, sia a casa sia a scuola. C'era molta allegria, c'erano le chiacchierate, le amicizie. E mai mi accadde di sentirmi oggetto di gelosia o invidia o antipatia da parte delle compagne, che pure non potevano non vedere la predilezione di cui godevo. Il gregge, come le chiamavo con disprezzo tra me, era incapace di provare invidia per i miei privilegi, a cui non teneva e che molto probabilmente neppure notava. Ma le altre – le mie amiche e pari – quelle che avrebbero potuto invidiarmi, sembravano pensare che tutto ciò che ricevevo mi fosse dovuto. Non già che *loro* non dessero importanza ai favori di Mlle Julie – ne conoscevano, anzi, tutto il valore –, ma non so perché, mi concedevano pieno diritto di goderne.

Cara, mite, scrupolosa Gertrude, uscita da una banale famiglia della media borghesia inglese e precipitata di colpo in questo calderone di cultura straniera, sottoposta di colpo allo stimolo della personalità di Mlle Julie! Che col massimo impegno cercava di mettere ogni cosa a profitto, di imparare, di acquisire conoscenza e stile. Che prese via via coscienza dell'abisso invalicabile tra la vita cui lei apparteneva per nascita e posizione e questo mondo di cui Mlle Julie deteneva le chiavi! Che via via giunse a temere che tutti i suoi sforzi sarebbero stati vani, che sarebbe stato, il suo, uno sradicamento e non già un trapianto, che non avrebbe mai trovato un terreno in cui fiorire! E che allora cominciò a illanguidire, ad avvizzirre fino alla tragica fine!

Edith, la mia amica, che mi voleva bene più di quanto io ne volessi a lei, che aveva tutte le qualità di cui mancavo io, che aveva una intelligenza più limpida, più fredda, più posata, ma che sapeva egualmente sopportare, e perfino ammirare, i miei sbalzi d'umore, i miei entusiasmi, i miei slanci, senza disapprovarli e senza condividerli.

Georgie, dai profondi occhi neri! Non c'era, in lei, nulla d'intellettuale. Ma intuivo che doveva aver già vissuto con maggiore intensità di noi tutte. Celava nel petto un fuoco misterioso vicino al quale anche il mio cuore si riscaldava.

Nina, l'irlandese, turbolenta, indisciplinata, sempre nei pasticci, così preoccupata finché c'era dentro, così spensierata quando ne era uscita, così generosa, così cordiale, così divertente nei suoi scoppi di ribellione che perfino l'autorità sorrideva nel reprimerli – quanto mi era cara – e quanto mi era cara anche Mimi. Mimi, il fuoco fatuo, incapace di imparare la minima cosa dai libri e bravissima in mille altre cose; la quale sapeva mettere insieme un vestito per una mascherata in mezz'ora, e disporre un mazzo di fiori, e cantare come un angelo, e parodiare come una scimmia. La sua compagnia era per me una delizia, anche se le mie amiche più serie si chiedevano perché.

Altre, naturalmente, c'erano, che non amavo, che giudicavo meschine, noiose, affettate, irritanti. Ma non le frequentavo. Perché mai avrei dovuto farlo? Ci si ignorava a vicenda. Anche senza di loro, avevo di che tenere occupata la mente e il cuore.

Ma ora devo decidermi a parlare di Laura. Avevo atteso il suo arrivo, lo confesso, con una buona dose di apprensione. «È la prediletta di Mlle Julie – la prediletta più prediletta che abbia mai avuto», dicevano alcune ragazze anziane, che erano state «matricole» durante l'ultimo trimestre di Laura. Parlavano con ammirazione e quasi con reverente timore della sua «intelligenza», il termine che, a scuola, serve a indicare ogni manifestazione di eccellenza in classe. I suoi *devoirs* erano sempre i migliori; e c'era la consuetudine di leggerli ad alta voce come esempio di ciò che un *devoir* può essere, dovrebbe essere. Quando andava alla lavagna per un problema d'algebra o geometria, il professore diceva, «*Je vous félicite mademoiselle*». Leggeva *Faust* con Frau Riesener e *La Divina Commedia* con la Signorina. La trovava simpatica la Signorina, domandai. Quanto a me, sapevo che l'avrei odiata.

«Oh, no», disse la Signorina, «non credo che lei la odierà.»

«Ma è la perfezione in persona. Come si può voler bene a un paragone simile? E poi sono sicura che mi disprezzerà. E non mi rivolgerà mai la parola. E poi starà sempre in biblioteca, e...»

«Il fatto è», disse la Signorina, «che lei è già decisa a essere gelosa, Olivia mia. Io le consiglio seriamente di vincere questa piccola debolezza, o altrimenti...» la sua voce si abbassò, forse ebbe un tremito? «passerà dei brutti giorni.»

Ma la prima volta che vidi Laura non provai nulla di ciò che mi attendevo, o che avevo prestabilito di provare. Fui conquistata, come lo ero stata vedendo per la prima volta la sua fotografia. No, era impossibile essere gelosi di Laura.

Quando Mlle Julie entrò nella biblioteca e ci presentò, tutte e due eravamo intimidite e impacciate, ma Laura sembrava più impacciata di me, e ben presto mi avvidi che, invece di sentirsi superiore, Laura, al contrario, era stranamente cosciente delle proprie manchevolezze. Sapeva di essere goffa, di non possedere né bellezza, né grazia, né portamento, nulla, insomma, per farsi perdonare la sua superiorità intellettuale, mentre al tempo stesso aveva la penosa sensazione di doversela far perdonare in qualche modo. Non che una simile mancanza di fiducia verso il proprio potere di attrazione la rendesse troppo preoccupata di sé. No, non ho mai visto nessuno che più di lei fosse scevro d'ogni forma di egocentrismo, mai nessuno dedicarsi agli altri con gioia così evidente. Eppure, nonostante il suo altruismo, non si poteva dire che sacrificasse se stessa. Laura non sacrificava mai se stessa. Non aveva una «se stessa» da sacrificare. Quando donava il suo tempo, i suoi pensieri, le sue energie, per allevare fratellastri e sorellastre, per lei era *realmente* una gioia. Quando suo padre riprese moglie e lei perdette la sua posizione di padrona di casa – una posizione prestigiosa, perché egli era forse l'uomo più importante in Inghilterra, a quel tempo – Laura accolse la giovane matrigna con tanto affettuoso calore, con tanta simpatia e gratitudine perché faceva la felicità del padre tanto amato, che nessuno pensò di compatirla; si vedeva che la sua gioia era autentica. Il suo viso era uno dei più radiosi che mi sia mai accaduto di vedere; talvolta grave, ma mai triste, mai mogio. I suoi occhi limpidi, trasparenti, vi guardavano con tanta gaiezza, con tanta affettuosa franchezza da bandire momentaneamente anche nell'altro tristezza e sconforto.

Era una compagna vivificante. Parlammo di molte cose. Non tanto di politica, perché allora io ero troppo lontana da quel mondo per interessarmene in maniera intelligente, ma del carattere, delle ambizioni, della morale, del comportamento, e di certe nozioni elementari di metafisica che io cominciavo allora a leggere; molto raramente di persone. Parlavamo passeggiando su e giù per il lungo corridoio a scacchi bianchi e neri; ma spesso andavamo a sederci in biblioteca, poiché, lungi da volermene tenere lontana, lungi dal volerci restare da sola con Mlle Julie, era proprio Laura che veniva a cercarmi ogni qual volta se ne presentasse l'occasione; fu lei a darmene l'abitudine, sicché, dopo la sua partenza, continuai spesso ad andarci anche senza essere invitata.

Nella biblioteca Mlle Julie ci leggeva ad alta voce. Era, del resto, una consuetudine molto elastica, spesso interrotta dalla conversazione, in cui la mia parte era quella di chi ascolta. Talvolta ci leggeva un articolo di rivista su un autore contemporaneo o su un pittore del Rinascimento, talvolta un capitolo di un libro – una pagina di Michelet o Renan – talvolta una poesia – Victor Hugo, Vigny. Talvolta toccava a una di noi leggere a lei. Spesso ci faceva controllare una voce nel Larousse grande, altre volte ci mostrava la sua collezione di fotografie, che aveva raccolto in grande quantità durante i suoi viaggi. In genere trascorrevamo in tal modo con lei l'ora di riposo concessa dopo la colazione e il pranzo della sera, e in genere quando uscivamo entrava la Signorina per aiutarla nei conti e nella corrispondenza della giornata.

«Laura», le dissi un giorno verso la fine della sua visita, «le vuoi bene?»

«Ma certo», disse Laura, «lo sai. Per me ha rappresentato la parte migliore della mia vita. Mio padre è troppo occupato, non ha tempo di parlare con me. È stata lei ad aprirmi gli occhi a tutte le cose che amo di più al mondo, a coprirmi di tesori innumerevoli.»

«E dimmi ancora una cosa, Laura. Anche a te batte il cuore quando entri in una stanza dove c'è lei? Anche a te il cuore si ferma quando le sfiori la mano? Ti si secca la voce in gola quando le parli? Anche a te manca quasi il coraggio di alzare gli occhi e guardarla, eppure non riesci a distoglierli?»

«No», disse Laura. «Niente di tutto questo.»

«E allora che altro provi?»

«Niente», disse Laura, guardandomi coi suoi occhi limpidi, in cui c'era una sorta di stupore e una sorta di riserbo, «non c'è nient'altro. Le voglio bene e basta.»

«Così», pensai tra me, ma non lo dissi a voce alta, «quello che provo non è soltanto affetto. È qualcosa di più o qualcosa di meno? Il mio non sarà un cuore grande come quello di Laura, ma non posso ammettere che senta con minore intensità. Sono sicura, sicurissima, che sente di più, ma forse non di più, forse soltanto in modo diverso.»

La visita di Laura ebbe fine molto presto, inaspettatamente. Ricevette da casa una lettera che la richiamava. Ma a me, in privato, disse:

«Credo che Mlle Cara non stia molto bene. O forse sono io che l'affatico o la irrito. Perciò è meglio che me ne vada, per il bene di Mlle Julie».

«Laura», gridai, «quando ti rivedrò?»

«Quando finirai la scuola ci vedremo molto spesso. Saremo amiche per tutta la vita.»

E così è stato, Laura cara.

No, non di Laura ero gelosa; ma piuttosto, per qualche inspiegabile motivo, di Cécile. Cécile era la nostra bellezza americana. Alta, elegante, squisitamente vestita, con una testa cesellata con la perfezione di una figurina di Tanagra, una splendida carnagione di panna e di rose, occhi scuri, mobili, vuoti. Perché ero gelosa di Cécile? Non aveva, a mio modo di vedere, né cuore né intelligenza. Andava per la sua strada con un distacco impervio, sereno imperturbabile. Si sentiva che dall'alto della sua superiorità non aveva timore di nulla. Mlle Julie si divertiva a parlare con lei e a cercare di prenderla in giro. Ammirava i suoi abiti, criticava lo stile delle sue acconciature, faceva continuamente delle osservazioni sul suo aspetto personale.

«Le osservazioni personali!» esclamò una volta. «Lo so che a voi inglesi fanno addirittura orrore. V'insegnano a evitarle fin dall'infanzia. Per voi, è una scorrettezza dire a qualcuno "I tuoi capelli sono bellissimi ma l'acconciatura non è quella adatta". Anzi, per voi è un'indiscrezione, un'intrusione, quasi un'offesa anche soltanto notare la persona con cui state parlando: esattamente come vi fate un dovere di fingere di non accorgervi di quel che state mangiando. Per conto mio, fare delle osservazioni personali è una delle cose più importanti della vita. Come si fa a vivere senza osservare gli altri, e abituare se stessi a osservarli nella giusta luce? E se poi le nostre osservazioni ci salgono alle labbra, tanto meglio, daranno più sapore alla nostra conversazione. Lei preferisce che le parli dei suoi vestiti e dei suoi capelli piuttosto che delle opere di Pascal, è vero Cécile?»

«Oh, sì, senz'altro», disse Cécile, pur non avendo la minima idea di chi fosse Pascal.

«E allora le dirò ciò che penso. Certo, su questo argomento lei la sa più lunga di me, ma le darò la mia opinione per quel che vale. Lei è molto bella e ha pienamente ragione di dedicare tutto il suo tempo a curare la sua bellezza. Ma deve cercare, se è possibile, di farlo con intelligenza. Quando sposerà il suo duca... perché immagino che lei abbia intenzione di sposare un duca inglese, no?»

«Sì», disse Cécile, con tranquilla sicurezza. (E lo fece).

«Allora, quando lo sposerà, si ricordi che la moda è importante, d'accordo, ma che lei è bella abbastanza per non essere schiava della moda. A volte le sue connazionali sono così ben rifinite, così perfettamente "confezionate" che perdono ogni fascino. Cerchi di essere perfetta senza darlo troppo a vedere. O piuttosto, si ricordi che lei è già talmente perfetta che non ha bisogno di darsi da fare per metterlo in evidenza. C'è qualcun'altra qui che vuole sposare un duca?» proseguì, guardando in giro.

«Io», dissi, «ci terrei molto.»

«Ah», disse Mlle Julie, squadrandomi con occhio critico, «non mi stupisce. Ma, *chère petite*, ho paura che non ci riuscirai. Non hai una seconda scelta?»

«Sì», dissi, «il duca è appunto una seconda scelta. Preferirei molto sposare», (non osai dire «essere amata da» ma era questo che intendevo), «un grand'uomo... un poeta, un artista. Ma non riuscirò neppure a far questo.»

«Non ne sono sicura», rispose lei gravemente.

Eppure, sebbene sapessi di essere rispettata più di Cécile, c'erano dei momenti in cui le invidiavo la sua bellezza, la sua perfezione, quell'immenso potere che le permetteva, senza il minimo sforzo, di far sentire la propria presenza, momenti in cui non era il rispetto che avrei voluto ma qualcosa di più... umano, lo chiamavo.

In un modo diverso ero invidiosa anche della Signorina. Mi rendevo conto che la sua passione aveva una linearità di cui mi sapevo incapace. Non c'era, in lei, nulla che non avesse dedicato al suo idolo. Sì, capivo che in lei la passione aveva obliterato ogni altro sentimento – che perfino la gelosia era bruciata nella vampa della sua adorazione. Intuivo che gli scrupoli, la coscienza, ogni idea di altri doveri, ogni altro interesse, impegno, affetto, a meno che si riferissero al suo culto, per lei non esistevano più. Ciò le dava una calma straordinaria. Non c'erano in lei conflitti di sorta. Non era mai preda di quelle tempeste di disperazione e risentimento, seguite da spasimi di odio e disgusto per la propria persona, che tanto spesso mi squassavano. Per sé non chiedeva nulla salvo il permesso di servire – servire in qualsiasi modo – in tutti i modi. Credo che non sentisse bisogno d'altro. Mentre io, che pure avrei voluto servire, mi rendevo continuamente conto di essere incapace e indegna, continuamente ero divorata da vane umiliazioni. E poi in me c'era anche una strana ripugnanza, il terrore di avvicinarmi troppo. Non mi sarebbe piaciuto assistere Mlle Julie durante la sua toeletta, spazzolarle i capelli, aiutarla a infilarsi le scarpe. Quando pensavo ai minuti servigi che la Signorina eseguiva con totale felicità, mi sentivo rabbrividire. E poi, ancora, come non tener conto di tutte le altre cose che avevo dentro? Il mio fervore non si lasciava forse destare da mille straordinarie ragioni? Una curva del fiume tra le rive boscose, una massa di nubi in cielo, un verso, una scena in un romanzo, l'incanto all'aprirsi del sipario a teatro, l'angoscia per la follia di Swift, per la morte di Keats – ecco alcune delle mie innumerevoli infedeltà. Mi difendevo alla sbarra del mio tribunale privato dicendo che tutte queste emozioni erano semplicemente «i ministri dell'amore» e che era stato l'Amore stesso a crearle «per alimentare la sua scarsa fiamma». Nondimeno talvolta invidiavo e molto spesso ammiravo la Signorina.

7

Ricordo il primo screzio tra le due direttrici del quale fui testimone. Già da alcune settimane si mormorava tra le ragazze che una rottura era in aria; c'era chi passando davanti alla loro porta aveva sentito scoppi di voci, parole adirate. Ma la prima scenata pubblica ebbe luogo a tavola. Fu il modello di tutte quelle che seguirono e nacque da un incidente da nulla.

Hortense, la cameriera, lasciò cadere un piatto dietro la sedia di Mlle Cara; Mlle Cara trasalì, gettò un grido come se le avessero sparato.

«L'ha fatto apposta. Ci giurerei», esclamò.

«Oh, Cara, mi spiace che ti abbia spaventato», disse Mlle Julie.

«No, non ti dispiace affatto», strillò Mlle Cara. «Tu ti prendi gioco di me. E incoraggi la sua balordaggine. Siete state tu e Mlle Baietto a volerla assumere. Lo sapevi benissimo che era un'incapace. Ma si capisce, non mi dài mai ascolto.»

Mlle Julie tentò di deviare l'attacco.

«Va bene, vuol dire che intanto le diremo di servire un'altra tavola.»

Un'altra volta Mlle Cara trovò a ridire sul vitto. Con un gesto d'impazienza, scostò il piatto di portata.

«Nessuno si preoccupa minimamente del mio regime», gridò. «Eppure, mi sembra, Mlle Baietto dovrebbe ormai sa-

pere che non posso mangiare carne di manzo. Mi volete avve-
lenare, tutte quante.»

«Ma Cara», disse Mlle Julie, «se stanno appunto portando
in tavola il tuo pollo!»

«È troppo tardi. Ormai non mi sento più di mangiare.» Si
alzò per lasciare la tavola. Subito Mlle Julie fece l'atto di ac-
compagnarla, ma Frau Riesener fu più svelta di lei. Si precipitò
a porgere il sostegno del suo braccio a Mlle Cara e mentre si
avviavano lentamente fuori dalla stanza Mlle Julie ricadde sulla
sua sedia.

Quel pomeriggio la mia lezione con la Signorina fu piuttosto agitata.

«Oh», gridò, «sa il cielo che faccio di tutto per acconten-
tarla. Ma non serve a niente. Trova a ridire su qualsiasi cosa, lo
fa apposta.»

«Ma perché la odia?»

«No, non odia me, o almeno, io vengo dopo. S'è messa in
testa di tormentare *lei*. È già grave giù in sala da pranzo, ma di
sopra sta perdendo il controllo ogni giorno di più. Piange, sin-
ghiozza. Dice che sta per morire, che la stiamo assassinando
tutte. L'altro giorno ero dietro la porta. È stata una cosa spa-
ventosa. "Tu non mi vuoi bene", continuava a ripetere; "nessuno mi vuol bene." Poi ho sentito Mlle Julie che le rispondeva
con una voce così dolce, così tenera: "Ma no, Cara, io ti voglio
bene, davvero. E ti auguro di guarire presto, di essere di nuovo
felice". E Mlle Cara ricominciò. Singhiozzava, ma sono riuscita
a capire: "No, no. Tu allontani da me tutte quelle che mi vogliono bene. Una dopo l'altra. Al principio vogliono bene a
me, e dopo cambiano. Sei tu che me le rubi". E poi, Olivia,
ho sentito il suo nome. "M'ero illusa che Olivia si sarebbe affezionata a me, ma invece vuol bene a te, è sempre così".»

«Non è colpa mia», gridai. «È più forte di me.»

Fu nel corso delle mie lezioni di italiano (e mi si crederà se dico che imparai a capire e a parlare questa lingua con insolita facilità) che riuscii a cucire insieme briciole e frammenti di eventi intorno ai quali presi dapprima a rimuginare e poi a lavorare di fantasia. Ma fino a che punto si trattasse di fatti reali, o non piuttosto della versione che di essi, colorandoli, dava la Signorina, non potei mai appurare. E dal principio alla fine di questa storia oscura io me ne trovai quasi sempre ai margini, a cercarne la chiave e il cuore, a cercare con la mia inesperienza di tutti gli elementi fondamentali della natura umana e la mia ignoranza di gran parte dei dati reali, di capire che cosa stava succedendo, e di raffigurarmi i sentimenti e i moventi degli attori che vi partecipavano. Naturalmente la cosa non mi riuscì. E ancor oggi... no, ancor oggi ho la stessa incertezza di allora. Nubi di sospetti e congetture si addensano intorno all'una e poi all'altra protagonista del dramma, ma si tratta di nubi così inconsistenti e vaghe che il minimo fiato le disperde ed eccole comporsi in altre forme e in altri colori, tanto che spesso mi sembrano le insalubri esalazioni del mio cuore e della mia mente sconvolta.

Mlle Julie, dunque, e Mlle Cara (così mi raccontò la Signorina) erano vissute insieme per quindici anni. Erano entrambe giovani, belle, dotate, quando si conobbero e decisero di associarsi per avviare un collegio femminile. Julie aveva i capitali, gli amici influenti, l'energia, l'intelligenza, la personalità. Cara aveva il garbo che conquistava le madri troppo tenere e le qualifiche che rendevano possibile l'iniziativa. A differenza di Julie aveva infatti superato tutti gli esami necessari. Avevano cominciato dal poco, ma con loro sorpresa s'erano ben presto affermate, la loro cerchia s'era estesa, avevano potuto trasferirsi in una casa più grande, aprire una biblioteca e una sala di musica. In un certo gruppo di intellettuali parigini rappresentavano una sorta di istituzione. Julie era figlia di un noto letterato; gli amici di suo padre erano persone illustri e dopo la morte di lui mantennero viva l'amicizia con la figlia. Julie era soprattutto una donna brillante, di mondo, e i modi carezzevoli, tubanti di Cara attenuavano la sua vivacità, raddolcivano i suoi epigrammi; insieme seppero fare del loro salotto un piacevolissimo luogo di ritrovo, cui l'andirivieni delle *jeunes filles* che offrivano caffè e pasticcini agli ospiti prestava l'ultimo tocco di grazia. Erano una coppia modello, profondamente legata, teneramente unita, le manchevolezze dell'una essendo compensate dalle qualità dell'altra. Erano ammirate e benvolute. Erano felici.

Secondo la Signorina, questa armonia era durata senza screzi fino all'arrivo di Frau Riesener tre anni prima. A quell'epoca, la Signorina era entrata a far parte della scuola già da un mese o due. All'inizio, poiché era giovanissima, aveva occupato una posizione molto in sottordine.

«Nessuno badava a me, allora», disse, «ma gli occhi li avevo, e li tenevo aperti.» (Gli occhi della Signorina erano infatti pieni di una vivacità straordinaria. Mi faceva pensare a un topolino che guizza via con stupefacente sveltezza, che appare e scompare inaspettatamente, che raccoglie con destrezza ogni briciola d'informazione).

Frau Riesener aveva cominciato col rendersi simpatica e quasi indispensabile a tutte e due le signorine. Donna molto capace, molto intelligente, aveva introdotto nuovi metodi organizzativi, era al corrente delle più recenti teorie sull'educazione, era espertissima nella scelta dei buoni insegnanti, e tutto questo faceva con grande impegno e grande efficienza. Mlle

Julie ebbe così più tempo da dedicare alle sue lezioni di storia e letteratura, più ore per le visite agli amici parigini. Mlle Cara si trovò sollevata da molte incombenze relative al governo della casa, e venne sollecitata a non affaticarsi, come diceva Frau Riesener, inutilmente.

«Ma io mi accorsi», disse la Signorina, «che tutte queste attenzioni avevano l'effetto, non so se dovrei dire l'intenzione, di dividere le due amiche.»

Mlla Cara si sentiva chiedere continuamente se non avesse mal di testa, si sentiva ripetere continuamente che aveva l'aria stanca, era continuamente esortata a stendersi sul letto a riposare. La biblioteca di Mlle Julie era gelosamente protetta da ogni intrusione. Nessuno doveva disturbarla mentre lavorava. Le sue visite a Parigi vennero facilitate e incoraggiate. Il soffio della vita mondana era appunto ciò che dava alla scuola il suo *cachet*, diceva Frau Riesener; era assurdo che queste visite venissero intralciate da impegni di minore importanza, cui poteva benissimo assolvere un subalterno – e cioè la stessa Frau Riesener.

E così, da un sostegno al quale si appoggiavano, ciascuna dalla sua parte, Frau Riesener finì per diventare una barriera tra le due amiche.

«E allora», disse la Signorina, «i suoi metodi cambiarono.» Poiché Mlle Julie si assentava spesso o era tutta presa dai suoi incarichi particolari, Frau Riesener consolidò via via la sua influenza su Mlle Cara – una influenza che, nata come sollecitudine, divenne imperio assoluto, mentre Mlle Cara andava sempre più abbarbicandosi, e la sua passività, la sua dipendenza crescevano. A poco a poco scivolò – venne anzi spinta a scivolare – nell'invalidismo. Il minimo malessere veniva gonfiato, ogni reazione sana stroncata sul nascere, e la campagna di insinuazioni ebbe inizio. Fu abilmente portata a credere che Mlle Julie non capiva il suo caso, che, essendo lei in ottima salute, non aveva pazienza o interesse verso le sofferenze altrui, che le stavano a cuore solo i suoi passatempi, che trascurava la sua amica e la sua scuola. Spesso, disse la Signorina, le era capitato di assistere a conversazioni di questo tenore:

«Vieni in giardino, Cara».

«Ma non le farà male, Mlle Cara?» interveniva allora Frau Riesener. «È molto umido, per terra.»

«Vuoi che ti legga qualcosa stasera, Cara?»

«Oh, Mlle Julie, Mlle Cara ha avuto una giornata così faticosa. Ho paura che la sua emicrania peggiorerebbe.»

«Non vuoi venire domani dai R..., Cara? Ci hanno invitate a colazione.»

«Julie, sai bene che non posso. È troppo stancante. E poi se davvero Minnie R... voleva vedermi, mi pare che avrebbe potuto scrivere a *me*. Non crede, Frau Riesener?»

Quando era stato introdotto il tema della gelosia? Quando era diventato più importante di tutti gli altri? Evidentemente, via via che Mlle Cara si allontanava dalla sua amica, la vitalità di quest'ultima aveva cercato altri sbocchi. La Signorina s'era pian piano, insensibilmente, guadagnata il suo affetto. Frau Riesener aveva subito sfruttato questa prima occasione.

«Ero così piccola», ripeté la Signorina, «che nessuno badava a me, tranne Mlle Julie. Lei seppe valutarmi fin dal primo giorno. Capì subito di che cosa ero capace. Se lei sapesse quanto è stata buona con me, Olivia mia! Quando mi scoprì, stavamo morendo di fame a Parigi, mia madre, mia sorella e io. Lei non può immaginare quel che fece per aiutarci: per mia madre trovò subito ospedali, dottori, infermiere; a mia sorella procurò un posto di insegnante di italiano in mezza dozzina di famiglie ricche; e quanto a me, mi prese con sé perché l'aiutassi. E così faccio», aggiunse la Signorina, «e così farò finché avrò vita.»

«Del resto», proseguì, «perché mai Mlle Cara dovrebbe essere gelosa di me più di quanto Mlle Julie lo sia di Frau Riesener?» In ogni caso, la breccia s'era allargata, approfondita. Non il più piccolo incidente che non venisse interpretato come un'offesa. Le lagnanze erano diventate rimproveri, i rimproveri si stavano trasformando in rampogne.

«Quanto potrà ancora durare? Come andrà a finire? E io le posso dire, Olivia, che Mlle Julie sopporta tutto con una pazienza ammirevole. Non l'ho mai sentita rispondere con una parola dura. Fa tutto il possibile per placare e pacificare; le dedica tutta la sua sollecitudine, tutte le sue attenzioni... quando glielo permettono. Qualsiasi cosa, qualsiasi cosa, tranne...»

«Tranne?»

«Tranne rinunciare alle sue amicizie. Rinunciare a chi le vuol bene, a quelli a cui lei vuol bene. "Che cosa mi resterebbe?" mi disse una volta, "se dovessi lasciarti andar via?" E mi disse che Mlle Cara e Frau Riesener stavano concertando una manovra per sbarazzarsi di me. "Ti costa un sacrificio troppo grande, *mon enfant*, restare pur sapendo che loro sono contro di te?" mi domandò una volta. Ma non avevo neppure bisogno di rispondere. E poi le cose peggiorarono ancora quando arrivò Laura. E se Laura non fosse stata una santa, una santa sublime, inconsapevole, non so che cosa sarebbe accaduto. Ma sono sicura che Laura, senza la minima ipocrisia, era affezionata anche a Mlle Cara. Credo che Mlle Cara riuscì a convincersi che l'affetto di Laura era tutto per lei, e che Mlle Julie era attratta soltanto dalla sua intelligenza. Però questa volta Laura ha capito. Ha fatto bene ad abbreviare la visita, anche se non servirà molto, perché adesso...» una pausa, una pausa cupa, «perché adesso c'è lei, Olivia.»

Devo pensare a queste parole più tardi, dissi a me stessa, contengono troppe cose – troppa gioia, troppo terrore. Per il momento devo spazzarle da parte. Devo nasconderle, seppellirle, come il cane fa col suo osso, finché non potrò tornarci da sola.

«Ma che cosa ha in mente Frau Riesener?» domandai. «Perché vuol separarle? Lo fa solo per il gusto di seminare zizzania?»

«Credo», disse la Signorina lentamente e pensosamente, «credo che al principio fosse questa la ragione, o perché, più che seminare il male, le piace dominare. Ma adesso mi pare che il suo vero scopo sia di allontanare Mlle Julie e prendere il suo posto.»

Era per me incomprensibile ciò che la Signorina aveva detto: che di Laura Mlle Julie apprezzava soltanto l'intelligenza. Non avevo forse veduto coi miei stessi occhi il loro affetto manifestarsi in mille modi diversi, l'evidente naturalezza e felicità del legame che le univa? Pure, Mlle Cara non era stata gelosa di Laura, come non lo ero io. «Ma adesso c'è lei», aveva detto la Signorina. In me, dunque, doveva esserci qualcosa di diverso. Forse semplicemente il fatto che io non ero una santa sublime e inconsapevole? Che non ero abbastanza generosa per voler bene a Mlle Cara? La sua osservazione doveva nascondere qualche altra cosa. Non si poteva certo dire che Mlle Julie apprezzasse la mia intelligenza. Purtroppo, la mia intelligenza non reggeva il paragone con quella di Laura. Non avevo nessuna delle sue doti, ero totalmente incapace di sostenere una conversazione con Mlle Julie su un piede di parità. E allora perché Mlle Cara si dava pensiero di me? Perché la Signorina aveva detto con quel tono cupo: «Adesso c'è lei, Olivia»? Dunque devono pensare che io, per lei, sono più importante di Laura. Pensiero insensato! No, no, non più importante. Ma importante, tuttavia. E in un modo diverso. Come era diverso ciò che provavo per lei. E ora compresi che era appunto questa diversità che volevo.

Ma Laura era una santa. Solo per questo la rottura tra le due amiche non era diventata una catastrofe. Ma io – io non ero una santa. Come potevo esserlo? E così forse sarei stata io a provocare quella catastrofe. Non potevo evitarlo. Se era questione di modificare gli slanci del mio cuore, non potevo farlo, così come non avrei potuto strapparmi quel cuore dal petto – e poi non volevo. Al contrario. Fui presa da una strana esaltazione. Oh no, non ero una santa.

Perché la Signorina mi aveva raccontato questa storia? Solo perché io ci tenevo tanto a conoscerla? Non era, in un certo senso, anche un avvertimento? In tal caso, era un avvertimento dato invano, giacché nulla potevo modificare, nulla avrei tentato di modificare.

E poi i miei pensieri riandarono al passato, quando le due amiche erano giovani entrambe, belle e felici. Come una coppia di sposi, pensai. E che tragedia quando le coppie che si sono amate si separano! Quale disillusione, quali rimorsi, quali rimpianti dovevano rodere il cuore della mia adorata. Era questo che le aveva incavato le guance, questo aveva dato alla curva delicatissima del suo labbro quella piega così triste, così amara. E io non potevo far nulla per lei. Eppure, sospirai, con quanta gioia avrei dato la vita per vederla felice!

Non molto dopo questo colloquio con la Signorina, e un paio di giorni dopo la partenza di Laura, raccolsi tutto il mio coraggio e alla solita ora andai, sola, in biblioteca. Rimasi per qualche minuto davanti alla porta prima di girare la maniglia. Quand'ero sola, indugiavo sempre così davanti alla porta chiusa tra lei e me. Aprirla sembrava richiedere uno sforzo sovrumano. Ma non era esattamente la paura a farmi esitare. No, piuttosto, una sorta di timore religioso. Il passo che dovevo compiere era troppo grave, troppo portentoso per farlo senza preparazione – il passo che avrebbe abolito l'assenza. Tutte le facoltà, tutte le forze di cui l'animo era dotato dovevano essere chiamate a raccolta e concentrate per reggere quel passaggio fatale. Lei è dietro quella porta. La porta si aprirà e mi troverò in sua presenza.

«Sei tu Olivia? Entra.»

«Posso?»

«Sì. Mi sentivo un po' sola senza Laura. Hai fatto bene a venire. Ho molto da fare ma puoi restare lo stesso. Prenditi un libro e leggi. I Sainte-Beuve sono laggiù. Ti conviene prendere un *Lundi*.»

«Posso prendere un poeta?»

«Sì, certo. Cosa vorresti?»

«Il Vigny che lei ci ha letto ieri.»

«Benissimo. Ecco a te.»

Presi il volumetto rosso e sedetti sul pavimento.

Come mi sentivo felice!

La vedevo seduta alla scrivania. Vedevo il suo profilo serio e bellissimo quando alzavo gli occhi dal libro, e quando li riabbassavo continuavo a sentire la sua presenza.

Rilessi il *Moïse*.

Grandezza e solitudine. «*Puissant et solitaire.*» Vivere al di sopra della folla, in solitudine. Essere condannati alla solitudine dalla grandezza delle proprie qualità. Essere condannati a vivere in disparte, per quanto si agogni al contatto caldo della compagnia umana. Essere l'Unto del Signore. Strano e pauroso destino! Pensando a queste cose dimenticavo dov'ero. Finalmente alzai il capo e vidi il suo sguardo fisso su di me. Senza rendermi conto di ciò che facevo, senza riflettere, come spinta da una molla indipendente di cui ignoravo l'esistenza e alla cui violenza ero assolutamente incapace di resistere, mi trovai di colpo inginocchiata ai suoi piedi, a baciarle le mani, a ripeterle piangendo, «*Je vous aime!*» singhiozzando, «*Je vous aime!*»

Ricordo ciò che disse, ciò che fece? No, nulla. Ricordo soltanto me stessa inginocchiata accanto a lei – la sensazione del suo vestito di lana sulle mie guance, il tocco delle sue mani, la morbidezza e il calore delle sue mani sotto le mia labbra, la durezza dei suoi anelli. Non so come lasciai la stanza. Per tutto il resto del giorno vissi come in un labirinto, sognando quelle mani, quei baci.

8

Fu in questo periodo che un cambiamento si operò in me. Quel senso delizioso di letizia, di leggerezza, di fervida vitalità, quella continua coscienza della giovinezza, di forza e di ardore, quella sensazione che un potere divino mi avesse improvvisamente concesso una inaudita felicità, mi avesse reso padrona di sconfinati regni e incommensurabili ricchezze, tutto ciò disparve misteriosamente com'era venuto e subentrò uno stato molto diverso. Adesso ero tutta scontrosità e tetraggine – il cuore pesante, i piedi di piombo. Non riuscivo a interessarmi alle lezioni; mi era impossibile pensarci. Quando il giovedì e la domenica sedevo con le altre ragazze nello studio dove avremmo dovuto scrivere i nostri *devoirs*, io non riuscivo a lavorare. Restavo per ore di seguito con le braccia incrociate sul tavolo, la testa appoggiata su di esse, immersa in una specie di coma.

«Ma Olivia, che cosa fai?» chiedeva talvolta un'amica. «Dormi?»

«Lasciami in pace», rispondevo io con impazienza. «Sto pensando.»

Ma non stavo pensando. Talvolta sognavo – i sogni sciocchi dell'adolescenza: che le avrei salvato la vita a prezzo della mia con un gesto eroico, che lei si sarebbe chinata a baciarmi sul mio letto di morte, che mi sarei inginocchiata al suo letto di morte e quali sarebbero state le sue ultime parole, che sarei diventata famosa scrivendo poesie che nessuno avrebbe saputo essermi state ispirate da lei, ma un giorno lei lo avrebbe indovinato, e così via.

Altre volte non sognavo neppure, ma ero ridotta come una massa di sensazioni puramente fisiche che mi sconvolgevano, che addirittura mi davano un vero malessere. Il cuore si metteva a battere con violenza, il respiro si faceva rapido e irregolare, come in attesa di un avvenimento straordinario che si sarebbe prodotto da un momento all'altro. A ogni porta che si aprisse, al più inoffensivo risuonar di passi, il mio plesso solare irradiava in ogni parte del corpo fitte lancinanti, e un attimo dopo, vedendo che non accadeva nulla, mi afflosciavo come una vescica perforata in una quiescenza piatta e desolata. Talvolta s'impadroniva di me come una nostalgia, ma non sapevo di che cosa: di una vaga felicità, di un inimmaginabile soddisfacimento, che sembrava offrirsi a me, vicinissimo, ma che tuttavia sapevo irraggiungibile – una felicità che, se fossi riuscita ad afferrarla, avrebbe estinto la mia sete, placato il mio polso, m'avrebbe dato una pace elisiaca. Altre volte, era il potere di espressione che sembrava essermi negato. C'era da impazzire. Se solo avessi potuto esprimermi – in parole, in musica, in qualunque modo. Immaginavo di essere una prima donna o una grande attrice. Oh, divino sollievo! Sfogo di tutto il fermento che ribolliva in me! Era una materia pericolosa. Se solo avessi potuto liberarmene – gridarlo al mondo – declamarlo via!

E c'era uno stato più passivo, più languido, in cui mi pareva che il mio essere si sciogliesse; era – così pensavo fra me – un lasciarsi andare, mi sentivo come qualcuno che galleggi lungo un fiume placido e caldo, ogni muscolo rilassato, ogni parte di me disposta a ricevere le più squisite carezze dell'aria e dell'acqua, giù, giù, verso un mare di sconosciute delizie. Quel mio indefinito desiderio era come un dolore non localizzato, diffuso per tutto il mio essere. Se potessi scoprire, pensavo, dov'è, che cos'è. Nel cuore? Nella mente? Nel corpo? Ma no, sapevo soltanto di desiderare qualcosa. Essere riamata, questo, pensavo a volte, doveva essere. Ma una cosa simile mi pareva così totalmente impossibile, che non potevo neppure concepirla. Non riuscivo a immaginare *come* avrebbe potuto amarmi. Affezionarsi a me, volermi bene, come a una bambina, come a un'allieva, questo sì, naturalmente. Ma ciò non aveva nulla a che fare con quel che provavo io. E così mi fabbricai un altro sogno. La persona che amavo come amavo lei era un uomo, e quest'uomo mi avrebbe preso tra le braccia... mi avrebbe baciata... avrei sentito le sue labbra sulle guance, sulle palpebre, sulla... No, no, no, questa era follia. La realtà era diversa – senza speranza. Senza speranza! Parole terribili, che pure contenevano un tonico. Me le stringevo al cuore. Sì, senza speranza. Erano queste parole che davano dignità alla mia passione, che la rendevano degna di rispetto. Nessun altro amore, amore tra uomo e donna, poteva essere disinteressato quanto il mio. Ero io sola ad amare – soltanto per me l'amore era una fantasia impossibile.

Eppure accadeva che avesse per me meravigliose attenzioni. Spesso, quando mi leggeva un libro in biblioteca, abbandonava la sua mano nella mia lasciando che gliela tenessi. Una volta che ero a letto col raffreddore venne a trovarmi in camera mia, mi vezzeggiò, mi portò delle ghiottonerie dalla tavola, mi raccontò delle storie, mi fece ridere, mi lasciò rianimata, contenta. Fu durante la convalescenza da quella leggera indisposizione che una sera infilò la testa nella mia stanza e disse:

«Vado a pranzo a Parigi, ma quando torno passerò a vedere come stai e a darti la buona notte». La sua buona notte fu festosa e tenera e il giorno dopo ero guarita.

Quindici giorni dopo era di nuovo fuori a pranzo. L'ultimo treno da Parigi arrivava in stazione verso le undici e mezza e di solito lei era a casa pochi minuti prima di mezzanotte. Come potevo impedirmi di restare sveglia, quella notte, ad aspettarla, a tendere l'orecchio? Per andare in camera sua doveva passare davanti alla mia porta. Forse, forse sarebbe di nuovo venuta a trovarmi. Ah, orecchie attente, cuore in tumulto! Ma perché ci metteva tanto? Cosa poteva esserle successo? A ogni momento accendevo la candela e guardavo l'orologio. È possibile che sia passata davanti alla porta senza che l'abbia sentita? Impossibile. Finalmente, finalmente, il suo passo risuonò lungo il corridoio, avvicinandosi. Vicino, sempre più vicino. Si sarebbe fermato? Avrebbe continuato? Si fermò. Una pausa intollerabile. Avrebbe girato la maniglia? La maniglia girò. Entrò nella fioca luce che le imposte non chiuse della finestra lasciavano entrare nella stanza e si fermò accanto al mio letto:

«Ti ho portato un dolce, golosona», disse, e lo trasse dalla borsa.

Oh sì, ero golosa, ma non di dolci. Le sue mani erano mia proprietà. Le coprii di baci.

«Su, su, Olivia», disse lei. «Sei troppo appassionata, bambina mia.»

Le sue labbra mi sfiorarono la fronte e mi trovai sola.

Qualche tempo dopo vi fu il consueto ballo mascherato del Martedì Grasso, assolutamente identico, devo dire, a ogni altro ballo mascherato di ogni altro collegio femminile. Per tutta la giornata regnò la massima disorganizzazione, poiché, per preparare i vestiti, ci era stato concesso di correre avanti e indietro da una stanza all'altra, chiacchierando, ridendo, misurando, lavorando d'ago e di spilli come forsennate. E poi venne l'eccitazione della sera. Le due direttrici sedevano in trono, insieme al corpo insegnante, a un'estremità della sala di musica, che era stata sgombrata per le danze; il piano attaccò una marcia e noi sfilammo davanti a loro a due a due, facemmo i nostri inchini e riverenze, fummo interrogate, complimentate e garbatamente canzonate. In simili occasioni Mlle Julie era nel suo elemento, e quella notte non fece eccezione. L'atmosfera era più lieta del solito, la tensione pareva diminuita. Mlle Cara era allegra e sorridente; lo spirito di Mlle Julie scintillava come i suoi occhi; si divertiva d'ogni cosa, come tutte noi. Leggevamo nel suo sguardo la curiosità, l'interesse per la diversa personalità che ogni ragazza rilevava nel travestimento, alcune tradendo i loro desiderî e le loro segrete fantasie, altre abbandonandosi apertamente alle loro inclinazioni naturali.

Così la povera, banale patetica Gertrude aspirava a essere Maria di Scozia; gli occhi scuri di Georgie ardevano misteriosi e tragici sotto un cappello a cilindro; coi suoi baffi finti e la barbetta aguzza, era un perfetto poeta romantico del 1830. Al suo braccio era appesa Mimi, una incantevole *grisette* in scialle e crinolina, e la coppia flirtava spudoratamente con gran diletto di tutte noi. La frenetica Nina era Puck in persona, tormento e spasso di tutta la compagnia. E io? Non saprei dire che cosa rivelasse il mio costume. Era un vestito Parsi, che mia madre aveva portato dall'India e che io trovavo molto ricco e sfarzoso. La morbida seta orientale era d'un rosa cupo e aveva una fascia d'oro intessuta lungo il bordo del sari e della parte che formava la lunga gonna. M'ero coperto il capo con il sari e avevo disposto le fitte pieghe con discreta abilità.

Ma non c'erano dubbi su chi fosse la regina del ballo. Cécile, una splendida e compiaciuta Columbia, veleggiava con la grazia di un cigno, sovrana tra noi. Era avvolta nella bandiera a stelle e strisce. Un'audace scollatura metteva in mostra le sue spalle bellissime e il principio del seno. Stelle di diamante le incoronavano il capo e scintillavano intorno al suo lungo collo sottile. Era di una bellezza radiosa.

Le stavo porgendo i dovuti complimenti quando Mlle Julie si avvicinò a noi.

«*La belle Cécile!*» gridò. «È un vero onore per noi, *chère Amérique*, una bellezza degna della galanteria di Lafayette», proseguì ridendo. «Si volti e si lasci guardare.»

Posò le mani sulle braccia nude di Cécile e la fece piroettare, si chinò e la baciò sulla spalla. Un lungo bacio meditato su una spalla nuda e cremosa. Mi sentii trafiggere da uno spasimo sconosciuto e di una violenza incredibile. Odiai Cécile. Odiai Mlle Julie. Alzando gli occhi dal bacio, quest'ultima vide che la stavo guardando. Non mi aveva notata prima? Non lo so. Ora, pensai, si burlerà di me.

«E Olivia, è forse gelosa di tanta bellezza?» disse. «No, Olivia, tu non sarai mai una bellezza, ma anche tu hai i tuoi numeri», valutandomi, pensai furibonda, come se fossi un animale a un'esposizione di bestiame. «Belle manine, piedi ben fatti, un bel personale, molta grazia, che a volte conta più della...» ma a questo punto la sua voce si spense in un mormorio troppo basso perché lo potessi udire. «Ma anche se volessi baciarti, mia bella indiana, come potrei farlo, nascosta come sei in tutti quei veli? Su, vieni qui che ti voglio dire un segreto.»

Mi attirò a sé, ricacciò indietro il mio sari e mi bisbigliò all'orecchio, vicino, così vicino che quasi le sue labbra mi toccavano, il suo alito caldo sulla mia guancia:

«Stanotte passerò a portarti un dolce».

Era sparita.

Ricordo che ebbi la sensazione d'esser fatta, carne e scheletro, d'acqua. Le ginocchia cedevano. Dovetti aggrapparmi a un tavolo e sostenermi finché non mi tornarono forze sufficienti per arrivare fino a una sedia – sarebbe venuta – stanotte – tra poche ore. Un peana si levò nel mio cuore. Poco fa m'ero sentita debole? Ora l'esaltazione mi scorreva nelle vene. Perché? Perché? Non mi soffermai a pensare perché. Sapevo solo che là, nell'immediato futuro, presto, prestissimo, qualcosa stava per venire a me, una folle gioia, uno strazio supremo che tutto il mio essere invocava. Ma non dovevo pensarci. Ora dovevo ballare. Proprio in quel momento Georgie mi passò accanto.

«Perché sei così pallida?» mi chiese fissandomi.

«Georgie», dissi, «sei mai stata innamorata?»

Gli occhi neri di Georgie si accesero di un cupo splendore. Vidi il suo respiro farsi più rapido.

«Sì», rispose tetra, «sì.»

«E com'è?»

«È uan cosa orribile.» E poi, come se un ricordo dolcissimo le salisse dalle profondità del cuore fino agli occhi splendenti, il suo sguardo s'intenerì, si liquefece dietro un velo di lacrime: «E meravigliosa... Vieni, balliamo!»

Mi prese per la vita e mi strinse a sé. Quel contatto dava conforto. Conforto, pensai, e piacere a tutte e due. Georgie era più forte e più alta di me. Potevo appoggiare la testa sulla sua spalla; e sentivo la sua china su di me. I nostri passi, le nostre membra, si muovevano in armonia, ondeggiavano, ora più rapidi, ora più lenti, alla musica, come obbedendo a un unico spirito. Potevo affidarmi alla sua guida, abbandonarmi in un'aura estatica al movimento, al ritmo, ai languori e alle passioni del valzer.

Quella sera danzammo insieme tutti i valzer (Georgie abbandonò la sua *grisette* – «Non vale due soldi come ballerina»), ma sapevamo bene che non stavamo ballando l'una con l'altra, che una di noi stringeva, e l'altra si lasciava stringere dal fantasma dei suoi sogni.

Era consuetudine chiudere i balli con un «galop», com'era chiamato. Non credo che oggi questa danza esista ancora. Era la tempestosa conclusione, in quei giorni vittoriani, di serate piene di sentimentalismo e correttezza – valzer e lanceri – e i presenti si precipitavano nel vortice finale con frenetica violenza. Quando, quella sera, i valzer ebbero termine, Nina e io, come spinte da un impulso magnetico, corremmo l'una nelle braccia dell'altra per il galop finale. L'atmosfera era piena di eccitazione. Fraulein, al piano, la sentiva come tutte noi, e suonava con insolito brio. Ma nessun'altra coppia poteva competere con Nina e con me. Continuammo a volteggiare sempre più svelte, vertiginosamente, lasciandoci fluire alle spalle, come baccanti, le chiome, e gli abiti, finché tutte le altre, esauste, si ritirarono e restammo sole a roteare, l'unica coppia sulla pista. Anche la musica si arrese prima di noi, e quando infine cademmo a terra ridendo e ansando, tutte le spettatrici applaudirono.

La serata era finita. Era tempo di andare a letto. Avrei voluto che durasse di più. Qualcosa stava per succedere che io temevo non meno di quanto lo desiderassi. Mi stavo avvicinando a un abisso in cui sarei caduta piena d'ebbrezza e di paura. Distoglievo gli occhi, ma sapevo che era là.

Dopo i rumorosi buona notte, ero finalmente sola in camera mia. Mi strappai di dosso i miei veli con impazienza. Dovevo far presto. Non c'era tempo da perdere. M'infilai la mia camicia da notte da collegiale, chiusa fino al collo e abbottonata ai polsi – e all'improvviso la visione delle spalle di panna di Cécile mi balenò dinanzi. Non potevo soffrire quell'orribile camicia da notte. Tirai fuori una camicia da giorno pulita e indossai quella. Era un po' meglio. Le braccia e il collo, per lo meno, erano nudi. Entrai nel letto e soffiai sulla candela.

Che cosa aveva detto? Belle mani, piedi ben fatti, un bel personale. Sì, ma in francese che strana espressione si usa? «*Un joli corps*». Un bel corpo. Un bel corpo il mio. Non avevo mai pensato al mio corpo fino a quell'istante. Un corpo! Avevo un corpo – ed era un bel corpo. Ma com'era? Dovevo guardarlo. C'era ancora tempo. Per ora non sarebbe venuta. Accesi la candela, balzai giù dal letto e sgusciai fuori dalla camicia. Lo specchio – piccolo – era sopra il lavabo. Mi rimandava soltanto l'immagine della testa e delle spalle. Salii su una sedia. In questo modo vedevo di più. Guardai la figura riflessa nello specchio, bizzarramente illuminata, senza testa né gambe, che mi attraeva e mi ripugnava nello stesso tempo. Poi lentamente feci scorrere le mani lungo il corpo di quella strana creatura, dal collo alla vita – Ah! – Era più di quanto potessi sopportare – quel brivido lacerante che non avevo mai provato. In un attimo avevo indossato la camicia, ero tornata a letto.

E ora ascoltavo, senza pensare, senza più sentir nulla, assorta completamente nell'ascolto. A poco a poco i rumori morirono – porte sbattute, passi, lembi di chiacchiere e risate. Ora la casa era silenziosa. Non del tutto. Ancora sentivo, di tanto in tanto, una finestra o un'imposta aprirsi o chiudersi.

Ecco. Sì, ora c'era veramente silenzio. Ora era il momento di sentire un passo avvicinarsi, una tavola del pavimento scricchiolare. Ecco! Il cuore mi batteva, si fermava, tornava a battere. No! Un falso allarme. Quanto tardava! Ormai doveva essere molto tardi. Troppo tardi! Troppo tardi! E ancora non veniva. Non aveva mai fatto tanto tardi. Accesi la candela e guardai l'orologio. L'una. Ed eravamo andate a letto alle undici. Scivolai fino alla porta e l'apersi pian piano. Vedevo la sua stanza un po' più oltre, sull'altro lato del corridoio. Nessuna luce veniva dalla fessura sotto la porta. Nulla si muoveva. Tutto era immerso in un profondo silenzio di morte. A passi grevi tornai a letto. Aveva promesso. Non poteva non venire, adesso. Dovevo aver fiducia in lei. O forse qualcosa l'aveva trattenuta? Ma non certo così a lungo. Sapeva bene che l'avrei aspettata. Ah, era crudele. Non aveva diritto di promettere e poi non venire. Mi aveva dimenticata. Non sapeva neppure che esistessi. Aveva altri pensieri, altre preoccupazioni. Proprio così, proprio così. Non ero nulla per lei. Una stupida scolaretta! Cécile le piaceva più di me. Attenta! Un rumore! La speranza si accese e morì infinite volte quella notte. Anche quando capii che era impossibile – anche quando l'alba di fine inverno cominciò a filtrare nella stanza, continuai a rigirarmi nel letto, in ascolto. Dovevano essere le cinque del mattino quando mi addormentai.

Pure mi aspettavano altre e più amare veglie, durante le quali ripensai a questa come a una notte felice – durante le quali compresi che non mi aveva mai amato, non mi avrebbe mai amata tanto come in quella notte.

9

Fui svegliata dalla Signorina, in piedi accanto al mio letto con il vassoio della colazione.

«Che ora è?» chiesi.

«Le dieci. C'era ordine di non svegliarla. È inteso che deve far colazione a letto ma essere pronta per la passeggiata alle 10.45.»

Avevo appena il tempo di far colazione e vestirmi senza pensare. Neppure durante la passeggiata ebbi modo di pensare, e del resto non volevo. Quel giorno c'era un professore esterno, e a tavola non potei sedere vicino a lei. Ne fui contenta. Le diedi il buon giorno insieme alle altre, quando ci alzammo tutte insieme all'entrata delle direttrici in sala da pranzo.

La giornata si trascinava, ma verso le quattro qualcuno entrò nell'aula e disse:

«Olivia, ti vogliono in biblioteca. Mlle Julie restituisce i *devoirs* di letteratura. Il mio non è troppo male, questa settimana. Hurrà!»

Mi avviai col cuore greve e a passi malcerti. Un cumulo di risentimento, vergogna, umiliazione mi schiacciava.

Era seduta alla grande scrivania al centro della stanza, e teneva di fronte a sé una pila di quaderni.

«Siediti, *mon chéri*», disse. «Eccoti il tuo *devoir*. Non c'è bisogno che ti dica che lascia molto a desiderare. Da qualche tempo a questa parte lavori male, Olivia.» Sospirò. Quanta dolcezza c'era nella sua voce! E quanta agghiacciante tristezza! «Olivia», continuò, «tu hai molte doti, molte qualità. Sarebbe un peccato gettarle via per inseguire... *des chimères!*»

E allora il mio cuore già gonfio, scoppiò. Ero stanca; non avevo speranza; ero piena di rancore; ero stata ingannata; mi ero resa ridicola; non combinavo nulla di buono. *Chimères! Chimères!* Nascosi la testa tra le mani e singhiozzai.

Lei si alzò dalla sedia. Nonostante la crisi di pianto ero attentissima ai suoi movimenti. Ma non mi venne vicino. Al contrario, si allontanò fermandosi vicino al caminetto.

«Olivia,» disse con voce grave, «mi spiace di averti dato una delusione stanotte. Se non capisci perché l'ho fatto, non posso spiegartelo. Ma vorrei che tu capissi questo: sto cercando di agire per il bene di tutte e due.» E poi, in un sussurro, soggiunse, così piano che l'udii appena: «*Je t'aime bien, mon enfant*». La sua voce si ruppe e venne meno; poi, ancora più piano, disse: «*Plus que tu ne crois*». E con queste parole se ne andò. La porta si chiuse e mi trovai sola.

I miei singhiozzi a poco a poco cessarono nel silenzio della grande sala. Il tranquillo crepuscolo che si andava addensando mi calmò. Il ricordo delle sue parole, la tenerezza della sua voce mi avvolsero come un manto consolatore. Mi asciugai gli occhi. La grande copia candida della *Vittoria di Samotracia* baluginava in un angolo della stanza; ancora riuscivo a distinguere, a una parete, i profeti e le sibille di Michelangelo, seduti in tutta la loro maestà, alti sopra di me; di fronte, l'acquedotto romano di Piranesi apriva ai miei occhi prospettive d'infinita grandiosità; un mazzo di rose di Nizza si schiudeva in un vaso sopra il tavolo; e tutt'intorno, libri. Solennità, nobiltà, bellezza, amore, erano dunque tutte chimere? No, no, cento volte no! Io credevo in queste cose. Credevo con tutta l'anima. Non avrei sprecato doti e qualità inseguendo queste cose. Ma dovevo farlo con animo più puro, con più fede, con minore egoismo. Ora mi sarebbe stato più facile. Non ero più sola. Lei era con me – al mio fianco. Aveva detto «noi due». Mi aveva innalzato fino alla sua stella. E mi amava, mi amava più – infinitamente più di quanto non meritassi. Le sue pene erano ben più grandi delle mie, eppure trovava ancora il tempo di aver compassione di me. Pietà e gratitudine mi inondarono, mi sopraffecero. Mi abbandonai a loro. Com'ero stanca! Presi un cuscino dalla poltrona su cui abitualmente sedeva, lo posai sul pavimento, vi affondai il capo e mi addormentai.

Ignoro quanto tempo fosse passato quando mi svegliai e trovai la luce accesa e Mlle Cara che mi sovrastava.

«Tu!» disse. «Che cosa fai tu qui?»

Stordita e abbagliata, mi alzai a sedere, socchiusi gli occhi e risposi: «Niente. M'ero addormentata».

«Addormentata!» disse irosamente. «E si può sapere perché vieni a dormire proprio qui?»

Mi alzai in piedi, borbottai confusa: «Mi scusi», e cercai di avviarmi verso la porta.

Ma Mlle Cara mi sbarrò la strada e cominciò a vomitare un torrente di parole esaltate, incoerenti.

«Tu! E dire che avevo tanto contato su di te, avevo tanto aspettato la tua venuta, anche tu mi tradisci, mi abbandoni. Che cosa direbbe tua madre se venisse a saperlo? Se sapesse che ti sei lasciata fuorviare, demoralizzare, depravare? Neghittosa, sei diventata, e magari anche viziosa! Caduta nelle mani di una ebrea italiana di bassa estrazione, e in mani peggiori, anche peggiori! Guardati, i capelli in disordine, il vestito tutto spiegazzato e scomposto, gli occhi fuori dalla testa! Vergogna, Olivia! Vergogna! Vergogna!»

La sua voce era uno strillo. Pensai che fosse impazzita. Non avevo mai visto in vita mia una persona in preda a una crisi isterica. Fui terrorizzata da quel balbettio stridulo, da quel riso singhiozzante, da quelle parole dementi. E improvvisamente si voltò. Mlle Julie era entrata nella stanza alle mie spalle; ora mi trovavo in mezzo alle due donne.

«Che succede Cara?»

Il fiume delirante cambiò direzione e proseguì. Ora tremava dalla testa ai piedi.

«Una delle tue favorite, una delle tue cocche, una delle tue *vittime*!» urlò.

«Va', Olivia», disse Mlle Julie.

Riuscì a liberarmi e io corsi alla porta, ma prima che la raggiungessi sentii quella furia gridare:

«Lo so, vai nelle loro stanze di notte, da Cécile, dalla Baietto, e adesso da lei! Lo so, lo so!»

La mia mente era sconvolta. Anch'io tremavo da capo a piedi. Che significava tutto questo? Perché all'improvviso mi pareva d'essere in mezzo all'orrore, come se il paesaggio, un attimo prima ancora illuminato d'un fulgore quasi celestiale, fosse di colpo precipitato nel buio, pieno ora di abominevoli insidie e viscidi mostri? Il mistero mi circondava, e informi sospetti, e in fondo al cuore sentivo la gelosia forte come non lo era stata mai, e una curiosità paurosa, una paurosa sete di male. In così breve tempo precipitare dalla gloria del Paradiso in questa ragione orrenda! Per la prima capivo quanto vicine, contigue, siano le porte del Cielo e dell'Inferno.

Anche quella notte dormii molto poco. Per ore e ore, o così mi parve, mi rigirai presa in un vano conflitto, e tutto dentro di me era in guerra e in tumulto, ogni soluzione confusa, nebulosa. Di quale vizio ero stata accusata? Ero realmente capace di essere viziosa? Sì, lo sentivo in me, in quest'odio, in questo orrore, in questa stessa confusione. Ma l'amore non era vizio. Quanto più amavo, tanto più la parte migliore di me prevaleva. Ma negli ultimi tempi, l'amore stesso non s'era forse andato oscurando di esalazioni emanate da oscuri recessi, di fronte ai quali rabbrividivo? Perché bene e male erano mescolati così inestricabilmente? Il male? Come poteva esserci il male nel volto puro del mio amore, nella dolcezza delle sue labbra sensibili, nella curva pallida e delicata della sua guancia, nei profondi occhi pensosi, nell'arco grave del sopracciglio? E pensavo a quell'altra faccia, stravolta dall'ira, gonfiata, infiammata di odio meschino, di meschine vanità, di meschine debolezze. Non c'era dubbio da che parte stesse la virtù. Ma poi i miei pensieri tornavano a scontrarsi con l'immagine improvvisa, fulminea, della spalla di latte di Cécile, e mi torcevo nel mio letto – anch'io nella morsa di odi meschini, di meschine vanità, di meschine debolezze. Mi piacerebbe pregare pensai, se solo sapessi a quale divinità. Ah! È la ragione che debbo implorare – una calma Minerva che guarderà dall'alto della sua dimora divina, e placherà le mie passioni, disperderà questi vapori sulfurei, restituirà al mio animo chiarezza e discernimento. E con quel pensiero e quella preghiera, la pace scese in me e mi addormentai.

10

Saltai giù dal letto, il mattino dopo, piena di buoni propositi, ben decisa a studiare di più, ad amare di più, a *essere* migliore. Sarei andata alla lezione di storia, anche se il professore era irrimediabilmente noioso. Avrei trattenuto i miei pensieri non appena si fossero avviati lungo i consueti, invitanti sentieri. Mi sarei concentrata su quel che potevo fare. L'avrei fatto meglio che potevo.

Ancora non avevo imparato, purtroppo, che la concentrazione mentale viene da una lunga disciplina, è un'abitudine che si acquisisce faticosamente. Il primo mattino di quella che doveva essere la mia nuova vita, come potevo sperare di scacciare del tutto quelle visioni ossessionanti – di una spalla – di un profilo? Che colpa ne avevo se, nel bel mezzo della lezione, la voce, le parole, la figura stessa del professore, si trovarono di colpo obliterate, e io non ebbi più coscienza di nulla se non di un sussurro quasi impercettibile, «*Je t'aime bien, mon enfant... plus que tu ne crois*»? Potevo forse evitare che, con un sussulto improvviso del cuore, le mie labbra sentissero il contatto di quelle mani morbide, l'asperità di un anello, la ruvidezza di un vestito di lana? O ancora, quando sentivo una voce isterica gridare: «Vai nella stanza di Cécile di notte!» tentavo di sopprimere questi sentimenti, questi sospetti, sforzandomi di interessarmi al governo di Richelieu – era colpa mia se non ci riuscivo?

Queste inquietudini e sospetti emersero in superficie durante la lezione di italiano.

«Signorina», dissi (ma disprezzavo me stessa mentre glielo chiedevo), «è vero che va nella stanza di Cécile di notte?»

«Nella stanza di Cécile!» rispose ridendo la Signorina. «Ma perché mai dovrebbe farlo? Non le importa nulla di Cécile. E quanto a Cécile, se il sonno *de beauté* venisse disturbato, può star sicura che farebbe le valige il mattino dopo. Ha parlato con Mlle Cara, a quanto vedo.»

Ci fu una pausa. Poi la Signorina proseguì: «Olivia», disse, «da lei e da me viene perché noi le vogliamo bene. E io credo di aver motivo di essere gelosa di lei più di quanto lei ne abbia di esser gelosa di me. Ma io non lo sono. A me dice tutto. Mi parla di questa situazione terribile. Ieri sera mi ha raccontato la scenata che ha fatto Mlle Cara. Mi ha detto che era come pazza... Non può andare avanti così. È una cosa che nuoce a tutti, nuoce alla scuola, alle ragazze. Lei ne sta facendo una malattia. E tutti i suoi sforzi per calmare Mlle Cara non fanno che renderla peggiore. Così finalmente si è decisa. Ha deciso di andarsene».

«Andarsene!» gridai, stupefatta. «Ma come? Ma quando? Che cosa farà?»

«Non c'è ancora niente di stabilito», rispose la Signorina, «ma ha intenzione di lasciare questa scuola a Frau Riesener e Mlle Cara, e lei andrebbe in Canada ad aprirne un'altra. Io la seguirò, naturalmente.»

Sembra difficile a credersi, ma questa era la prima volta che pensavo al futuro. Mi ero lasciata assorbire così completamente dalla novità e dalla violenza di tutte le mie emozioni, che non m'era mai passato per la mente che il presente potesse essere altro che eterno. Pensai prima di tutto a me stessa. Partiva – per il Canada – un altro mondo. Partiva, forse per sempre. Oceani sconfinati mi avrebbero diviso da lei – innumerevoli secoli.

Fui presa da un senso di vertigine. Il mondo si capovolse. Una nube mi oscurò la vista. Ero sul punto di svenire.

C'era un sofà nel piccolo studio dove si tenevano le lezioni di italiano. La Signorina mi fece distendere. Ringraziai questa debolezza fisica che, come un anestetico, attutiva un dolore intollerabile. Sapevo confusamente di aver appreso qualcosa di crudele, qualcosa di spaventoso, ma non sapevo quando. La Signorina prese *I Promessi Sposi* e cominciò a leggere con voce monotona. Mi lasciai lambire e sommergere dal suono melodioso dell'italiano, immobile sul sofà, senza ascoltare, senza pensare. Poi, di colpo, ripresi coscienza.

«Signorina!» gridai, alzandomi a sedere e stendendo le mani verso di lei. «Che cosa farò? Come potrò sopportarlo?»

«Cerchi di calmarsi Olivia.» (Oh, i grandi, con la loro calma!) «Non c'è bisogno di agitarsi, per ora. Tutto continuerà come al solito fino alla fine del trimestre. E in ogni caso lei dovrà andare a casa per le vacanze. Il prossimo trimestre, dato che Mlle Julie non sarà più qui, non c'è motivo di ritornare.»

(Dato che non sarà più qui!)

«E poi, Olivia, ho già il mio piano in testa. Apriremo una scuola in Canada e fra due o tre anni lei avrà l'età giusta, avrà passato gli esami, e verrà anche lei laggiù a insegnare nella nuova scuola.»

(Fra due o tre anni!)

Vane, inutili consolazioni! Lo sapevo.

Così ora, se il rostro e gli artigli dell'avvoltoio della gelosia avevano allentato la stretta sul mio cuore, ero caduta preda di un altro tormento, e peggiore. Avevo infine coscienza del passare del tempo. Cinque settimane! E tra poco sarebbero state quattro, e poi tre, e poi due, e poi una sola, e poi...

Ero il prigioniero che attende l'esecuzione. Non c'era via d'uscita. Continuavo a rigirarmi nella mia gabbia. Neppure mi sfiorò il pensiero della rassegnazione, dell'accettazione, né mi curavo delle sofferenze altrui. Solo le mie continuavano. Sì, ero prigioniera del mio egoismo. E quanto più desideravo arrestare il fluire inesorabile dei giorni, tanto più rapidi e paurosi essi volavano. Avevo appena lasciato la mia camera il mattino, che mi ci ritrovavo la sera. Un altro giorno prezioso se n'era andato senza ritorno e senza lasciar cosa alcuna dietro di sé, non un solo granellino d'oro che potessi aggiungere al mio povero mucchietto. Durante tutti quei giorni Mlle Julie fu gentile, con me, ma distante. Non osai più andare in biblioteca senza essere invitata. Non abbandonava più la sua mano nella mia, le rare volte che restavamo sole; e se tendevo l'orecchio per cogliere il suo passo le notti in cui rientrava tardi, il mio cuore non batteva più al ritmo della speranza.

Durante tutti quei giorni, poi, i segni di un cambiamento imminente, anzi, di una imminente catastrofe, si fecero sempre più evidenti. La Signorina mi aveva pregato di non dir nulla della rottura ormai prossima, e così feci, ma c'era nell'aria un senso di disagio. Le ragazze bisbigliavano negli angoli; le insegnanti avevano un'aria allarmata. C'era un insolito viavai. Signori con cartelle nere piene di documenti andavano a chiudersi di sopra, con le signorine, nel *cabinet de travail*. Mlle Julie andava più spesso a Parigi, e un giorno perfino Mlle Cara, avvolta in scialli e sciarpe e accompagnata da Frau Riesener, uscì in carrozza chiusa (diretta, a quanto si disse, in città).

«Sono questioni legali», disse la Signorina. «Devono stendere un atto di separazione dei beni. Ma lei è stata troppo generosa con Mlle Cara. Frau Riesener farà in modo che la sua diletta amica prenda tutto quel che può arraffare. E Mlle Julie lascia correre. È stata lei a mettere il capitale, dal primo all'ultimo centesimo, ma gliene restituiscono ben poco. E poi, pensi, quando ha chiesto di poter riavere i libri di suo padre, le hanno risposto che prima bisognava stimarli e accreditare metà del valore a Mlle Cara. Lei ha alzato le spalle e ha detto di sì.»

E così queste odiose questioni d'interesse dovevano essere discusse mentre i cuori si spezzavano.

Mentre i cuori si spezzavano...

Una sera d'ogni settimana era in genere riservata a Mlle Julie per le letture in biblioteca. Per me quelle serate hanno dato colore a tutta la letteratura francese. Quanti capolavori ci lesse! Quanti ne rivestì della bellezza della sua voce! Quanti seppe trasmettercene, animati e vivificati dal soffio del suo spirito, dal calore del suo genio.

Ah, Bérénice! Potrò mai pensare alla tua straziante maestà senza udire la sua intonazione, senza vedere i suoi occhi grigi e il tremito delle sue labbra mentre pronunciavano le semplici e immortali parole di commiato?

Et pour jamais adieu!
Pour jamais! Ah! Seigneur, songez-vous en vous-même
Combien ce mot cruel est affreux quand on aime?
Dans un mois, dans un an, comment souffrirons-nous,
Seigneur, que tant de mers me séparent de vous,
Que le jour recommence et que le jour finisse
Sans que jamais Titus puisse voir Bérénice,
Sans que de tout le jour je puisse voir Titus?

Alceste e Célimène! è per merito suo che vivete nella mia vita, e anche tu, caro, nobile Monsieur Jourdain, e tu, Don Rodrigue! Per quanto spesso mi accada di ripetere tra me e me la prima stanza di *Le Lac*, non una sola volta dimentico lo scatto, l'urgenza paurosa, rapida, della sua cadenza nei primi tre versi, e il lento rintocco come di campane a morto degli ultimi quattro monosillabi:

> *Ainsi, toujours poussés vers de nouveaux rivages,*
> *Dans la nuit éternelle emportés sans retour,*
> *Ne pourrons-nous jamais sur l'océan des âges*
> *Jeter l'ancre un seul jour?*

Ricordo l'ultima volta che la sentii leggere. Era la nostra serata. Ne aveva mancate diverse, di recente, ma questa non la mancò. Eravamo in sei o sette. Non avevo preso posto accanto a lei ma mi ero messa in modo da poterla vedere in viso, e questa volta, come la prima sera, tanto tempo fa, lei teneva in mano il tagliacarte d'avorio, e come la prima sera mi chiamò a sé:

«Vieni, Olivia, siediti qui».

Ma di tutto quel che ci lesse quella sera ricordo una sola poesia: *Paroles sur la dune*.

Se nel mio egoismo ho finito per fare un ritratto di me stessa anziché di lei, consideri chi mi legge quanto lei fosse distante da me, quanto diverso fosse il mondo di esperienze ed emozioni in cui lei abitava, quanto fosse difficile, quasi impossibile, per me immaginare la sua sofferenza! Porga ascolto a quelle tragiche parole, grevi di tanti ricordi, rimpianti, rimorsi, e pensi che io giunsi quasi a comprenderle!

Maintenant que mon temps décroît comme un flambeau,
Que mes tâches sont terminées;
Maintenant que voici que je touche au tombeau
Par les deuils et par les années

Où donc s'en sont allés mes jours évanouis?
Est-il quelqu'un qui me connaisse?
Ai-je encor quelque chose en mes yeux éblouis,
De la clarté de ma jeunesse?

Ne verrai-je plus rien de tout ce que j'aimais?
Au dedans de moi le soir tombe.
O terre, dont la brume efface les sommets,
Suis-je le spectre, et toi la tombe?

Ai-je donc vidé tout, vie, amour, joie, espeir?
J'attends, je demande, j'implore;
Je penche tour à tour mes urnes pour avoir
De chacune une goutte encore!

Comme le souvenir est voisin du remord!
Comme à pleurer tout nous ramène!
Et que je te sens froide en te touchant, ô mort,
Noir verrou de la porte humaine!

Era per me che leggeva. Ne ero certa. Sì, io capii, fui la sola, fra tutte, a capire. Ancora una volta quel senso di profonda intimità, quella comunione che né le parole né le carezze avevano il potere di creare, mi avvicinò al suo cuore. Ero con lei, accanto a lei, per sempre al suo fianco, su quella stella infinitamente bella e infinitamente lontana che riversava i suoi sparsi raggi di dolore, affetto e rinunzia sul freddo e buio mondo sottostante.

11

Il giorno dopo Mlle Julie andò a Parigi; sperava di essere di ritorno per il pranzo; non ne era sicura.

Venimmo a sapere che Mlle Cara aveva una delle sue forti emicranie. Per tutto il giorno Frau Riesener non fece che entrare e uscire dalla sua stanza, che occuparsi di lei. Quella notte doveva prendere la sua pozione soporifera – come si usava in quei tempi, prima che i cachet o le compresse fossero state inventati. Ci raccomandarono di andare a letto il più silenziosamente possibile per non disturbarla.

«Frau Riesener è stanca», mi disse la Signorina dopo pranzo. «È andata a letto anche lei e mi ha pregato di preparare la pozione e portarla a Mlle Cara. Ma io preferisco non farlo. Le ho detto di dare istruzioni a Miss Smith. Di lei ci si può fidare.»

Andai a letto presto, mi assopii subito e per due o tre ore dormii di un sonno agitato. Una volta mi parve di sentire dei passi nel corridoio e tesi attentamente l'orecchio. Ma no; era qualcun altro e solo molto più tardi sentii arrivare la carrozza di Mlle Julie. Guardai l'orologio; era quasi mezzanotte. Allora cominciò l'attesa. Finché non l'avessi sentita passare davanti alla mia porta non avrei potuto riaddormentarmi. Quella notte l'intervallo fu più breve del solito, e prima di quanto mi aspettassi sentii il suo passo al fondo del lungo corridoio. Dapprima svelto, si fece, avvicinandosi, sempre più lento, parve esitare, si fermò. Nel buio la distinguevo appena. Si avvicinò al mio letto e vi si sedette. Le gettai le braccia al collo, le appoggiai la testa sulla spalla. Lei mi strinse a sé.

«Sono stanca; sono sfinita», mormorò. Poi, in tono quasi appassionato, ma a voce bassissima, gridò:

«Le gioie più pure me le hanno avvelenate. Perfino i pensieri mi hanno avvelenato. Perfino quel che ho di più intimo. Ma ora non ho più gioia. Ora devo dire addio a tutto quel che ho amato. Anche a te, Olivia, Olivia».

Si chinò per baciarmi e sentii le sue lacrime sulla guancia.

E così restai ancora un momento tra le sue braccia, la testa sulla sua spalla, piangendo anch'io.

Solo un momento. Si liberò con dolcezza, e poiché io mi aggrappavo disperatamente alle sue mani, stringendomele al cuore, disse quasi con severità: «Lasciami andare, Olivia».

Obbedii.

Quando la porta si chiuse ricaddi sul letto e nascosi il volto nel guanciale.

Ma che cos'era questo trambusto che all'improvviso veniva a disturbarmi? Quale mai spaventoso clamore? La mia porta si spalancò con violenza. Sulla soglia apparve Mlle Julie, una candela in mano, il volto pieno di terrore.

«Presto! Presto!» gridò con voce rauca, irriconoscibile. Va' a chamare la Signorina e Frau Riesener. È successo qualcosa a Mlle Cara. Corri! Corri!

Mi precipitai giù dal letto e senza perder tempo a infilare vestaglia e pantofole corsi lungo il corridoio buio, su per le scale, fiocamente illuminate in basso e in cima da due lumini per la notte, e spalancai la porta della Signorina. Sapevo che l'avrei trovata sveglia.

«Presto! Presto!» gridai senza fiato. «È successo qualcosa... Mlle Julie... Mlle Cara... Ha bisogno di lei.»

La Signorina era già balzata dal letto e mi stringeva.

«A chi è successo?» gridò.

«A Mlle Cara. A Mlle Cara. Adesso devo andare a chiamare Frau Riesener.»

Lei mi trattenne. «Cos'è stato? Cos'è stato?»

«Non lo so. Vada da lei, subito.»

Di nuovo feci di corsa il corridoio fino alla stanza di Frau Riesener, all'altra estremità. Qui le cose furono meno facili. Bussavo e bussavo; quasi tempestavo sulla porta. Finalmente l'apersi e chiamai:

«Frau Riesener! Frau Riesener! Si svegli! Si svegli! Si svegli!»

«Che c'è?» disse finalmente.

«La chiamano di sotto. Presto!... Mlle Cara... Le è successo qualcosa.»

La vidi accendere la candela senza scomporsi.

«Che cosa c'è?» ripeté.

«Non lo so... le dico che non lo so. Ma hanno bisogno di lei... presto... presto!»

Quando tornai di sotto, la Signorina, con indosso la sua linda vestaglietta e le sue pantofole, stava già dandosi da fare con bottiglie d'acqua calda, panni caldi e simili, e poco dopo Frau Riesener si unì a lei. Io venni spedita a svegliare la guardiana e a dirle di chiamare il dottore, ma prima la Signorina mi fece indossare una sottana, una giacca di lana e le scarpe.

«Che cosa è successo?» domandai.

«Ha preso una dose troppo forte di cloralio», fu la risposta, come del resto prevedevo.

«E come sta?»

«Ha perso conoscenza. Non so altro. Non possiamo far nulla finché non è venuto il medico.»

Ma in quei tempi non c'erano telefoni o automobili. Il figlio del giardiniere doveva correre in città in bicicletta; il dottore sarebbe venuto in carrozza. Non meno di un'ora sarebbe passata prima che arrivasse. Io restai in camera mia ad aspettare, senza osare chieder notizie, fermandomi talvolta in ascolto dietro la mia porta, oppure camminando su e giù per la stanza, agitatissima, o gettandomi sul letto a faccia in giù. Dopo la prima confusione e agitazione, il trambusto si spense e a esso seguì un mortale silenzio. Una volta la piccola Signorina, gentile come sempre, mise un istante la testa nella mia stanza ma disse solo: «Nessun cambiamento». Non vidi più Mlle Julie.

Finalmente sentii i passi del dottore, un breve colloquio sussurrato nel corridoio tra lui e Frau Riesener, il rumore di una porta che veniva chiusa pian piano. Mi preparai a un'altra lunga attesa. Certamente ci sarebbe stata ogni sorta di cose da fare – emetici, lavaggi gastrici, respirazione artificiale. Mi raffigurai in anticipo tutto questo, ma non fu così. Per quanto terribile fosse stato il suo ritardo nel venire, la brevità della sua visita fu più terribile ancora. Li udii camminare, lui e Frau Riesener, lungo il corridoio. Era lui che parlava, questa volta.

Poi la Signorina venne nella mia stanza.

«Posso fermarmi solo un momento, Olivia. È tutto finito. È morta. Era già morta da parecchie ore.»

Non so come riuscii a passar la notte. Non era certo un dolore che avesse colpito me, e del resto neppure ci pensavo.

Era il mio primo incontro con la morte, e una morte carica dei suoi più spaventosi attributi, inattesa, non temuta – il colpo brutale di un potere atroce e perverso che ci attendeva in agguato, pronto a ghermirci quando meno eravamo preparati. Non la morte lenta e naturale dei vecchi, non il termine scontato e inevitabile della malattia, ma una disgrazia. Una disgrazia evitabile, non necessaria. Una disgrazia! Ma era davvero una disgrazia? Un nuovo terrore mi raggelò. E se *non* fosse stata una disgrazia? E se l'avesse fatto apposta? Era mai possibile? No, assolutamente. Perché avrebbe dovuto fare una cosa simile? Pure, sapevo che aveva più volte minacciato di farlo. Ma d'altra parte avevo sentito dire che quelli che ne parlano sempre non lo fanno mai – tutti lo dicevano. E nessuno aveva mai preso sul serio le sue minacce. Doveva esser stata una disgrazia. Miss Smith aveva l'incarico di prepararle la pozione. Aveva sbagliato la dose. Mi ricordai che il professor Tyndall era morto esattamente nello stesso modo, e sua moglie, che gli aveva dato una dose troppo forte di cloralio, era quasi impazzita per il dolore. Che cosa ne pensavano gli altri? Mlle Julie? No, a lei non dovevo pensare! La Signorina? Frau Riesener? E il dottore? Avrei mai saputo che cosa era successo? Me l'avrebbero detto? E lo sapevano, loro?

Sebbene nei giorni che seguirono venissi a conoscere, grazie alla Signorina, le conclusioni cui gli altri erano pervenuti, continuo ancor oggi a pensare che i loro veri sospetti non me li dissero mai. Dei miei, in ogni caso, non feci parola con nessuno. Il giorno dopo ci fu naturalmente un'inchiesta. Il dottore, il *commissaire de police*, certi strani signori che venivano chiamati «*le parquet*», andavano e venivano per la casa. Chiunque fosse anche lontanamente implicato nel «caso» venne interrogato. Io stessa fui convocata per testimoniare su ciò che sapevo. M'interrogarono, specialmente intorno all'ora del ritorno di Mlle Julie, e mi chiesero come facessi a sapere che era mezzanotte, come avevo dichiarato.

«Perché ho sentito arrivare la sua carrozza e ho guardato l'orologio.»

«E come sapeva che era la sua carrozza?»

«Perché dopo è venuta in camera mia.»

«Ah! E perché?» Alzarono le sopracciglia. Li odiai.

Cercai di escogitare una bugia. Potevo forse profanare la verità dicendola a gente di quella sorta?

«Non stavo molto bene, al mattino, e la signora è venuta a vedere come stavo e se avevo bisogno di qualcosa.»

«E non le ha detto niente di speciale?»

(Niente di speciale!)

«No. Ha detto solo "Come stai?" e "Buona notte!"»

(Per fortuna Mlle Julie doveva aver detto press'a poco la stessa cosa, perché non fecero commenti).

«E dopo, quanto tempo è passato prima che tornasse a chiamarla?»

«Circa due minuti, direi.»

«Grazie Mademoiselle. Basta così.»

Frau Riesener venne interrogata sulle condizioni mentali di Mlle Cara.

«Assolutamente calma e di ottimo umore», fu la risposta. Sebbene al mattino avesse avuto un po' di mal di capo, e la notte prima non avesse dormito bene, verso sera sembrava star meglio e Frau Riesener, andando verso le otto a darle la buona notte, le aveva consigliato di non prendere la pozione soporifera. «Oh», avevo risposto Mlle Cara, «la terrò qui a portata di mano, e la prenderò solo se vedo che non riesco a dormire.»

Frau Riesener, che aveva anche lei un forte mal di capo, aveva dato istruzione a Miss Smith e poi era andata a letto.

Poi domandarono a Miss Smith se davvero, secondo lei, Mlle Cara era quella sera in uno stato d'animo calmo e allegro.

«No, tutto il contrario», fu la risposta.

«Ha detto qualcosa di speciale?»

«Si lagnava molto del suo mal di testa.»

«Nient'altro?»

«A un certo punto ha detto...»

«Sì? Che cosa?»

«"Vorrei non averlo fatto".»

«Fatto cosa?»

«Non lo so. Non ne ho idea.»

Quando la interrogarono sulla dose, Miss Smith giurò, piangendo, di aver versato nel bicchiere la dose esatta, seguendo le istruzioni di Frau Riesener, e di averlo poi messo sul tavolino da notte di Mlle Cara.

Frau Riesener giurò (senza piangere) di averle dato istruzioni di versare la dose esatta prescritta dal dottore.

Il dottore giurò che in tal caso non si sarebbero avute quelle tragiche conseguenze.

Vollero vedere il flacone. Miss Smith l'aveva rimesso a posto nell'armadio delle medicine quella sera stessa. Era chiuso a chiave l'armadio? Di solito sì. Ma quella sera Frau Riesener, che di regola teneva la chiave, l'aveva data a Miss Smith, la quale, ritenendo inutile disturbare Frau Riesener per restituirgliela quella sera stessa, l'aveva lasciata nella serratura. Le testimonianze sul flacone furono contrastanti. Quand'era pieno conteneva sei dosi. Due, avrebbero *forse* potuto riuscire fatali a una persona con il fisico di Mlle Clara. Era una bottiglia graduata, con le dosi segnate da righe sul vetro. Quando la portarono, si constatò che ne restavano solo tre dosi. Frau Riesener giurò che quando l'aveva consegnata a Miss Smith conteneva cinque dosi. Miss Smith giurò piangendo che ce n'erano solo quattro – poi cominciò a confondersi e ad agitarsi e disse che forse, in fin dei conti, potevano anche essercene state cinque, ma che era sicurissima di aver versato la medicina fino alla linea indicatale da Frau Riesener.

Frau Riesener era in grado di provare che quando aveva dato il flacone a Miss Smith le dosi erano cinque. Aveva somministrato una sola dose a Mlle Cara prendendola da quel particolare flacone. Annotava sempre queste cose nel suo diario. Ecco qua! Quindici giorni prima Mlle Cara aveva preso una dose, e poi più niente. Perciò quando aveva dato la bottiglia a Miss Smith le dosi erano cinque.

Al termine di questo giorno agitato il dottore firmò un certificato di «Morte accidentale, causata da una dose eccessiva di cloralio» e il *commissaire* e il *parquet* accettarono le sue conclusioni senza difficoltà. Le signore erano molto stimate in città; Frau Riesener e il dottore erano in ottimi rapporti e ben lieti di potersi scagionare a vicenda. Nessuno voleva rendere le cose più spiacevoli di quanto fosse strettamente necessario – e solo per la povera Miss Smith non si ebbero riguardi. Non c'era il minimo dubbio. Era stato un errore deplorevole, ma ormai era fatta. Non vi fu un supplemento d'inchiesta – nessuna autopsia. Gli accenni all'imminente separazione fra le due amiche furono molto discreti. Mlle Julie, come riconobbe la stessa Signorina, venne trattata da tutti con la massima considerazione e comprensione.

Ma dal canto mio, rimuginando su tutta la storia, giunsi alla conclusione che *ces Messieurs de la police et du parquet* avevano svolto la loro opera con grande inefficienza e con molta slealtà nei confronti della povera Miss Smith. Anche il dottore, pensavo, era colpevole. Mi si presentarono varie possibilità, nessuna delle quali era stata presa in considerazione: forse il cuore era debole e un'unica dose era stata sufficiente a ucciderla. Il dottore non volle neppur sentire parlare di questa eventualità – che, se si fosse dimostrata fondata, sarebbe stata una prova della sua negligenza.

L'armadio delle medicine era rimasto aperto quella notte; era nella *lingerie* in fondo al corridoio, una porta o due dopo quella di Mlle Cara. Chi avrebbe potuto impedirle di alzarsi e andarsi a prendere da sola la dose fatale?

Del resto, *chiunque* avrebbe potuto aprire l'armadio, prendere il flacone e versare la dose nel bicchiere – chiunque avesse accesso alla stanza di Mlle Cara. Ma una simile idea era fantastica!

«Mlle Julie ha paura che sia stata lei stessa ad avvelenarsi, lo vedo bene. Ma io sono sicurissima», disse la Signorina recisamente, «che non l'ha fatto. Era incapace di una cosa simile. E in ogni caso non l'avrebbe fatto così. Avrebbe sfruttato l'occasione a fondo, avrebbe lasciato un biglietto d'addio, l'avrebbe fatto teatralmente, e probabilmente sarebbe anche riuscita a farsi salvare prima che fosse troppo tardi.»

«Che voleva dire dicendo: "Vorrei non averlo fatto"?»

«Ci ho pensato e ripensato ma proprio non saprei. In ogni caso», proseguì, «se ho rifiutato di preparare la pozione, come mi aveva chiesto Frau Riesener, devo ringraziare la mia buona stella. Adesso mi troverei nei panni della povera Miss Smith.»

«Oh no, Signorina, non credo. Lei non avrebbe commesso errori.»

La Signorina ebbe un sorriso duro: «Forse no».

Nessuno dei miei dubbi trovò mai una soluzione definitiva. Ancor oggi, talvolta, mi accade di ripensare a quell'episodio, e ancora non so trovare una chiave. Impossibilità psicologiche o obiettive sembrano chiudere la strada a ogni soluzione, eppure la soluzione, non c'è dubbio, esiste; giace là, come un gioiello perduto, forse a portata di mano, se solo avessimo occhi per vederla.

12

Fra l'inchiesta e le ultime cure che occorreva dedicare alla povera salma, la giornata trascorse senza che nessuno avesse il tempo di restare con le mani in mano. La Signorina fece del suo meglio per tenere occupata anche me. Come ci si può immaginare, la scuola era precipitata in uno stato di costernazione e disordine. Non ci furono lezioni né passeggiate; gruppi di alunne si raccoglievano ritti negli angoli; non si sentivano che rumori soffocati; le ragazze non osavano guardarsi in faccia quando s'incontravano passando in punta di piedi lungo i corridoi. L'ombra della morte ci sovrastava tutte.

«Se lei potesse tenere occupate le piccole, Olivia», disse la Signorina. «Le porti nello studio e trovi qualcosa da leggere dopo il tè.»

Era la cosa più gentile che potesse escogitare per aiutarmi. Leggevo spesso alle piccole; per loro era una festa, come lo era per me. Avevamo cominciato un libro – mi pare fosse *Ivanhoe*. Leggere a voce alta mi costringeva a una attenzione superficiale senza d'altra parte impormi un eccessivo sforzo mentale. Il pensiero della tragedia ancora non mi abbandonava, ma non dovevo lasciarmi assorbire. E quella sera le piccole furono incantevoli.

«Un cuscino per Olivia.»

«Uno sgabello per Olivia.»

«Io voglio sedermi vicino a lei.»

«Anch'io.»

«Ma non è una cosa brutta stare a sentire una storia proprio oggi?» chiese una.

«No, non c'è niente di male. Anzi, è la cosa migliore che possiate fare per aiutare gli altri, in questi momenti.»

«Per aiutare anche te?»

«Oh sì. Soprattutto me.»

«Allora va bene. Leggi. Leggi.»

E alla fine mi si affollarono intorno per ringraziarmi, baciarmi. Mi gettavano le braccia al collo; mi accarezzavano la guancia. Una di loro, ricordo, disse: «Povera Olivia bella», e a gran pena mi trattenni dal piangere. Così passò la sera. Ma ora sarebbe venuta la notte – la prima notte di veglia.

La Signorina venne nella mia stanza verso le dieci, con aria stravolta.

«Non vuole che le stia vicino», disse. «Non vuole nessuno. Si è arrabbiata quando l'ho scongiurata di lasciarmi restare, anche solo nella stanza accanto. "Era la mia amica", ha detto. L'ha detto quasi con ferocia, Olivia. "È stata la sola persona che abbia mai amato, e non dovrei passare la prima notte sola con lei? Domani tu e Frau Riesener farete ciò che vorrete, ma stanotte voglio rimanere sola." Quando parla con quella voce non oso disobbedirle. Ma aveva un'espressione terribile.»

Restammo abbracciate per un istante poi la Signorina se ne andò a passi lenti e pesanti.

Alle undici non potei più resistere. M'infilai la veste da camera e le pantofole e sgusciai fuori dalla stanza. Tutto era silenzioso, tutto era buio, tranne un rigo di luce sotto la porta di Mlle Cara. Uno spogliatoio separava la sua stanza da quella di Mlle Julie. No, non avevo intenzione di disturbare la sua veglia, ma volevo passarla vicino a lei. Sedetti sul pavimento davanti alla porta, come avevo visto fare ai servi indiani, che siedono e dormono davanti alla porta dei loro padroni, la testa appoggiata sulle ginocchia. In questa posizione potei resistere molto tempo. A tratti mi assopivo, a tratti pensavo a lei, a quanto doveva soffrire, ai rimpianti, ai ricordi, forse ai rimorsi, che doveva avere. Mi tornava in mente quel verso che aveva letto:

Comme le souvenir est voisin du remord!

Che cosa potevo fare per lei? Come potevo aiutarla, servirla? Non potevo far nulla. Ciascuna di noi due doveva soffrire da sola. Da sola! Come doveva sentirsi sola in quella stanza! Sola con un cadavere – con la sola persona che avesse mai amato. Dietro di lei, un passato morto. Davanti a lei, uno squallido avvenire d'esilio... Ma forse ora l'esilio non sarebbe più stato necessario. Forse avrebbe potuto rimanere qui, rivivere, essere ancora felice. Io sarei stata al suo fianco; e anche la Signorina; la vita sarebbe tornata a sorridere. Così, fantasticando, costruivo un castello splendido e fragile, poi tornavo in me con un brivido di orrore. C'era una morta dietro quella porta, e io pensavo alla felicità.

Mlle Cara – era a lei che dovevo pensare. Che vita era stata la sua? Anch'ella aveva conosciuto l'infelicità. Anche lei era stata ferita forse nel profondo dell'anima. Anche lei era stata ferita forse proprio dalla persona che amava sopra tutte. A questo, dunque, portava l'amore. Ferire ed essere feriti. Io stessa avevo imboccato quella amarissima strada. No. Non potevo crederlo. Da tanto soffrire, se solo avessimo avuto la forza di servircene nel modo giusto, poteva nascere la virtù. La povera Mlle Cara era stata debole, vana, egoista – così la giudi-

cavo – era stata deteriorata dal dolore, aveva ceduto, si era lasciata divorare dalla gelosia e dalla vanità. Avrebbe potuto
vincersi? Non lo sapevo: ma Mlle Julie c'era riuscita, e ci sarei
riuscita anch'io. Sarei diventata migliore proprio perché
amavo, perché soffrivo. Perfino il dolore dell'assenza – così
giurai a me stessa stringendo i denti – mi avrebbe resa migliore, non peggiore. Ma che cosa significavano *migliore* e
peggiore? Era un problema troppo difficile in questo momento. Mi accontentavo di *sentire* il significato di queste parole – e di sapere che, con tutto il cuore, avevo scelto di stare
dalla parte del bene.

Avevo serrato i denti, e ora mi accorsi che battevano. Sentii freddo.

Cercai di ricordare la fine di quel verso che continuava a
echeggiarmi in testa:

> *Comme le souvenir est voisin du remord!*
> *Comme à pleurer tout nous remène!*

Che cosa veniva dopo?

> *Et que je te sens froide en te touchant, ô mort,*
> *Noir verrou de la porte humaine!*

Freddo! Freddo! Sentivo un freddo terribile. Rabbrividivo tutta. Pensai al mio letto, alle coperte. Che facevo qui?
Perché non tornavo nella mia stanza? A che serviva la mia presenza qui? A nulla. Assolutamente a nulla. Eppure no; un impulso violento mi vietava di andar via. Dovevo vegliare tutta la
notte con lei. Sarei rimasta qui fino all'alba, per quanto freddo
avessi, per quanto mi sentissi sfinita. Non dovevo abbando-

narla. La strana sensazione che la mia presenza fosse di importanza vitale s'era impadronita di me. Dovevo restare. Dovevo
restare. Il freddo saliva strisciando su di me, dai piedi alle
gambe; le braccia, le spalle erano fredde, di ghiaccio. Presi a
strofinarmi, ma non serviva a nulla. Non riuscivo più a pensare. Ero cosciente di due cose soltanto – questo freddo e la
volontà cieca, disperata, di restare. Non volevo neppure alzarmi. No, anche se mi sentivo tutta intirizzita e rigida, se
mi fossi alzata, se mi fossi mossa, avrei corso il rischio di ce-
dere alla tentazione; avrei disertato il mio posto; avrei tradito.
Non volevo tradire. Il tempo passava adagio, molto adagio.
Ma non potevo guardare l'orologio. Non c'era luce.

A un tratto sentii un rumore. Molto vicino. Al mio orecchio. Era la maniglia che girava, e prima che avessi il tempo di
capire ciò che stava accadendo, la porta si aprì e Mlle Julie
apparve, una candela in mano. Per poco non inciampò su
di me.

«Che cosa c'è?» gridò. «Chi è?»

Si chinò per vedere chi fossi. La candela illuminava stranamente il suo volto.

«Olivia!» disse. «Che cosa ci fai qui? Alzati! Parla!»

Cercai di alzarmi, ma non vi riuscii. Ero troppo intirizzita
per muovermi. Come non riuscii a parlare, tanto mi battevano
i denti.

Mi aiutò ad alzarmi, mi circondò col braccio – perché
senza il suo appoggio non mi sarei retta in piedi – e gridò:
«Santo cielo! Ma sei gelata! Vieni subito a scaldarti, presto».

Mi fece entrare nella stanza. Là, sul letto, era distesa la
salma. Tremai ancora più forte quando la vidi.

«Non aver paura, cara. Guarda! Non c'è nulla di terribile
in un morto.» E mi guidò verso il letto stringendomi la mano

mentre io guardavo. No, non era terribile – un viso dolce, calmo, gentile. Ma il colore! Avevo sempre sentito la gente paragonare il pallore della morte alla cera, all'avorio. Ma questa faccia, pensai, era gialla. Fui presa da un atroce senso di nausea e gridai disperata: «Sto male, sto male!»

In un attimo il braccio di Mlle Julile era tornato a sostenermi. Mi sorresse, mi trascinò attraverso lo spogliatoio, mi fece entrare nella stanza accanto, mi accomodò su una poltrona davanti al fuoco. Tutto si svolse con la rapidità del lampo: quando cominciai a vomitare violentemente c'era già una bacinella davanti a me. I suoi movimenti erano precisi e rapidi. In un attimo mi trovai una trapunta di piume sulle ginocchia, uno scialle intorno al corpo; la bacinella sparì appena fu possibile; mi sentii tamponare la fronte madida e fredda con acqua di colonia; nel camino stava bollendo dell'acqua, ai piedi avevo una bottiglia calda, alle labbra un grog con un buon cucchiaio di brandy; poi s'inginocchiò accanto a me, prese a massaggiarmi le mani gelide, e perfino i piedi, mormorando tra sé: «Povera bimba! Povera bimba!» Continuò così per molto tempo, o così mi parve, e per molto tempo i denti non cessarono di battere; ma infine mi sentii invadere da un delizioso tepore, la sonnolenza cominciò ad appesantirmi le palpebre, e quasi senza saper dove fossi, se non che ero in buone mani, abbandonai la testa sulla sua spalla e mi addormentai.

Quando mi destai era l'alba. Alzai il capo dal guanciale su cui riposavo e mi guardai intorno. Ero nella sua stanza. La vedevo per la prima volta. Era qui che lei dormiva. Quello era il suo letto. Ma stanotte non ci aveva dormito, e se appariva in disordine era perché coperte e piumino erano stati tolti e avvolti intorno a me, e il guanciale era stato messo sotto la mia testa. Vestita d'una lunga tunica di lana, Mlle Julie era in piedi vicino alla finestra volgendomi le spalle. Pian piano mi tornò in mente il ricordo della notte, e il ricordo di Mlle Cara distesa nella stanza accanto. Mlle Julie mi sentì muovere e si voltò. Sorrise.

«Va meglio Olivia? Sì, sei bianca e rosa stamattina. Ora devi tornare in camera tua.»

Mi disponevo ad alzarmi quando mi accorsi che voleva dirmi qualcosa. Sembrava costarle un grande sforzo. Si inumidì le labbra due o tre volte come se fossero troppo aride perché potesse parlare. Poi, con una voce strana, atona, disse:

«Forse sarai contenta di sapere che stanotte mi hai salvato la vita. Quando ho inciampato su di te nel corridoio, stavo andando all'armadio delle medicine. Nel flacone sono rimaste tre dosi. Mlle Baietto ha controllato che l'armadio fosse ben chiuso e si è portata via la chiave. Immagino che l'abbia tenuta tutta la notte sotto il cuscino. Ma non sa che io ne ho un'altra».

Avevo spinto via le coperte e corsi a inginocchiarmi ai suoi piedi.

«E adesso?» domandai.

«Adesso?» rispose. «No, ormai non devi più aver paura. Stanotte ho capito che non ci si può uccidere senza uccidere al tempo stesso molte altre cose. Ho già causato abbastanza male nella mia vita.»

Chinò la testa verso di me, ma senza toccarmi.

«Credimi Olivia, credimi», disse in tono serio, solenne, «io non voglio farti del male.»

In ginocchio davanti a lei, presi religiosamente la sua mano nella mia e la baciai, il cuore ormai sgombro da tutto ciò che non fosse la purezza della pietà.

Mentre uscivo mi gridò ancora:

«Devi restare a letto tutto il giorno. Potresti esserti presa una bronchite, e dobbiamo stare attente. Ti lascio il mio scialle».

Feci ciò che mi diceva, tornai nella mia stanza, mi misi a letto, rigida, indolenzita in tutte le membra, ma piena di una felicità scandalosa, intollerabile.

13

Rimasi a letto tutta la giornata e non presi né polmonite né bronchite, neppure un raffreddore. Forse perché ero troppo felice. La Signorina, indaffarata com'era, venne tuttavia spesso a trovarmi e mi guardava, mi parve, con curiosità e forse con invidia.

Era stato deciso, mi disse, che le vacanze sarebbero cominciate subito (mancavano solo quindici giorni alla fine del corso). Con tante ragazze venute dai Paesi più diversi, e che spesso dovevano fare un lungo viaggio, era necessario prendere disposizioni complicate e difficili per accompagnarle e fare in modo che qualcuno si trovasse ad attenderle all'arrivo, ed era quindi impossibile sbarazzarsi di noi prima del funerale. Che era previsto per l'indomani – giovedì. Frau Riesener se ne occupava personalmente e dava inoltre una mano per le *lettres de faire part*, che erano centinaia, senza contare le lettere più intime agli amici. Mlle Julie ne scrisse soltanto tre o quattro.

«E il giorno in cui le ragazze inglesi vanno a casa è già stabilito?»

«Sì», rispose la Signorina con dolcezza. «Sabato. Sabato mattina. Vi condurrà Miss Smith.»

«Signorina», dissi, «ma c'è ancora bisogno che vada in Canada? Che cosa ha intenzione di fare? Non può fermarsi qui, adesso?»

«Non so. Finora non ha detto cosa vuol fare. Dobbiamo aspettare il testamento.»

«Il testamento?» chiesi stupefatta.

«Sì», disse la Signorina. «Tutti gli atti di separazione erano già stati firmati qualche giorno fa. La casa e tutto ciò che contiene passavano interamente a Mlle Cara, la quale s'impegnava a versare un vitalizio a Mlle Julie, una somma ridicola, ma è andata così. Perciò adesso resta da vedere se Mlle Cara ha lasciato un testamento, e in tal caso, a chi spetta l'eredità. Ma immagino che Frau Riesener ci avrà pensato in tempo.»

Il mio splendido e fragile castello rovinò al suolo in frantumi. Ora sapevo che cosa sarebbe accaduto. Non era presentimento ma certezza.

Il giovedì, giorno del funerale, le ragazze e le istitutrici vennero mandate a fare una lunga passeggiata con picnic. Non dovevano essere d'intralcio. Fu un picnic alquanto tetro, ma per me rappresentò un'accalmia, una pausa, una parentesi, tra lo strazio passato e quello ancor da venire. Il sole splendeva; l'aria era soave; la foresta cominciava a vestirsi dei suoi veli di verde, e i primissimi fiori stavano spuntando tra le foglie marce dell'anno passato, proprio come nel giorno della mia prima passeggiata, tanto tempo fa. Edith, Gertrude e io camminavamo parlando adagio, sommessamente; partecipavo distratta alla conversazione, ma ero contenta di trovarmi in compagnia delle mie amiche.

Sapevo che cosa mi attendeva al ritorno, e tuttavia, quando il colpo venne, fu come se non fossi stata preparata. Non appena la Signorina riuscì a parlarmi da sola, mi disse che il testamento era stato trovato e aperto, e che Mlle Cara aveva lasciato ogni cosa a Frau Riesener, cui non restava altro obbligo che il vitalizio.

«Quel giorno che sono uscite in carrozza, andavano dal *notaire* a firmare il testamento, giusto due giorni prima della disgrazia. Così adesso», soggiunse, «quella donna è riuscita a ottenere ciò che voleva. È lei che trionfa, è lei la padrona assoluta della scuola, si è liberata delle persone che detestava, e perfino», aggiunse sardonica, «di quell'unica che amava.»

Ma si affacciarono alla mente frammenti sparsi di pensieri, come pezzetti di un rompicapo a incastro, che, quando ne avessi avuto il tempo, avrei forse potuto mettere insieme; ma ora li scostai:

«E al progetto del Canada, ci pensa ancora?»

«Credo di sì», disse. «Ma per ora vive in una specie di torpore. Non vuol parlarmi di niente.»

Eppure sentivo che anche la Signorina trionfava. Anche lei restava l'unica padrona del campo. «In Canada», andava cantando tra sé, l'intuivo, «in Canada sarò sola con lei, la sua unica amica, il suo unico aiuto, la sua unica serva.»

L'indomani era venerdì, e noi ragazze inglesi fummo invitate a preparare le valige. Saremmo partite in treno l'indomani mattina presto. Nel pomeriggio Mlle Julie doveva prendere congedo da noi. Noi della sua classe eravamo riunite nello studio piccolo ed entravamo a una a una nella biblioteca, dove lei ci attendeva. Due o tre ragazze ne uscirono piangendo. Ognuna teneva un libro – il suo dono d'addio. «È stata così gentile», diceva singhiozzando, «sembrava così triste, così desolata, in quella sua gran poltrona.»

Ero certa che mi avrebbe chiamata per ultima, e in ogni caso fantasticavo che questo non sarebbe stato l'addio definitivo. Sarebbe venuta da me ancora una volta, nella mia stanza, questa notte, questa notte.

Quattro ragazze erano già passate. Ne restavano ancora due e poi sarebbe toccato a me. Le contavo. Contavo i minuti. Guardavo l'orologio. Tendevo l'orecchio al suo ticchettio – il lento passo inesorabile del tempo.

Ma quando la quarta ragazza tornò, disse: «Olivia, ora devi andare tu».

Io so che cosa significa aspettare nell'anticamera di un chirurgo. Ho immaginato che cosa significhi entrare nella sala di consultazione prevedendo una sentenza di morte. E quello era allora il mio stato d'animo – la stessa ondulante vertigine dell'anima e del corpo, lo stesso lancinante dolore, lo stesso supremo appello alla risolutezza e alla forza d'animo. Dalla notte della veglia non l'avevo più vista. Era rimasta chiusa in camera sua.

Questa volta non osai indugiare davanti alla porta, per tema che le membra già vacillanti mi mancassero del tutto. Sapevo che una volta entrata nella stanza le forze mi sarebbero tornate. Entrai.

Lei non era seduta nella poltrona accanto al grande tavolo centrale, come avevo immaginato; e avevo visto me stessa nell'atto di correre ancora una volta verso di lei, di posare la testa nel suo grembo, di baciarle le mani.

Invece no; era ritta nel *bow-window*, dietro un piccolo scrittoio dove di solito la Signorina sedeva a fare i suoi conti. In mano aveva quel lungo tagliacarte d'avorio. *Barricata*, fu la parola che mi balenò. Si era barricata e armata contro di me – mi sentii diventare d'acciaio.

«Non voglio scene Olivia, per favore», disse con freddezza.

«Non voglio fare una scena», risposi con la stessa freddezza.

Ci fu una lunga pausa. Continuava a voltarmi la schiena, a guardar fuori dalla finestra. Poi, con voce mutata, come se stesse parlando a se stessa, cominciò:

«È stata una lotta tutta la mia vita, ma sono sempre riuscita a vincere, ero fiera della mia vittoria.» La sua voce mutò ancora, si ruppe, si fece più profonda, più dolce, divenne un sussurro: «Ora mi chiedo se la sconfitta non sarebbe stata preferibile per tutte noi, oltre che più dolce». Altra lunga pausa. Infine si volse e mi guardò e sorrise. «Tu Olivia non sarai mai vittoriosa, ma se resterai sconfitta...» come mi guardò! «quando resterai sconfitta...» mi guardò in un modo che il mio cuore si fermò e il sangue mi corse alle guance, alla fronte, finché mi parve d'essere avvolta nelle fiamme, poi di colpo s'interruppe e si passò una mano sugli occhi, come per allontanare una visione importuna. Quando tornai a vederli, erano spenti, senza vita.

«Non so più cosa sto dicendo», proseguì in tono opaco. «Ho mal di capo. Addio.»

Rimasi in silenzio – inchiodata al pavimento – senza capire – sbalordita.

«Addio», ripeté rabbiosamente. Sono sicura che picchiò il piede per terra. «Non capisci? Addio.»

Mi licenziava. Era la fine. Ma prima che arrivassi alla porta, mi richiamò: «Olivia!»

Ah! infine cedeva! Ora, infine, mi avrebbe stretta al suo cuore, e impaziente come il vento mi voltai per correrle incontro – ma lei era sempre dietro lo scrittoio. Il suo atteggiamento, la sua voce, la sua espressione, severa, dura, orgogliosa, mettevano tra noi una barriera ancor più insormontabile.

«Dimenticavo», disse, «che devo darti un regalo d'addio, un libro, credo, ma non so dove l'ho messo...» Armeggiò vagamente con certi volumi che aveva dinanzi.

«Prendi questo, invece», disse e mi porse attraverso il tavolo il suo lungo tagliacarte d'avorio. «E adesso mandami un'altra ragazza.»

Furono le ultime parole che sentii da lei: «E adesso mandami un'altra ragazza».

Presi il tagliacarte: un dono, pensai amaramente, che non diminuisce la distanza tra noi, che può darmi senza temere che le nostre dita si tocchino. Lasciai la stanza in un turbine di rancore – odio, quasi. Questa, dunque, era la fine. No, no, era impossibile. Insopportabile e perciò impossibile. E tuttavia sapevo perfettamente che non solo era possibile ma che avrei dovuto sopportarlo. Ora avevo soprattutto bisogno di movimento – per scacciarmi di mente quel pensiero come un puledro selvaggio si scrolla di dosso l'attrito intollerabile della sella. Corsi di sopra. Spalancai la finestra e scagliai il tagliacarte in giardino più lontano che potei. Afferrai mantello e *béret* (e intanto mi muovevo, non pensavo) e tornai a scendere di corsa le scale. Fuori della casa, fuori del parco, oltre la strada, dentro la foresta. Pensieri folli m'inseguivano – li sfuggivo come nemici onnipotenti e implacabili; sogni folli mi chiamavano – correvo verso di loro come incontro a un salvatore miracoloso. L'avrei incontrata. Sarebbe sbucata da quell'albero – no, dal prossimo – mi sarei trovata tra le sue braccia ancora una volta – un'ultima volta. Ci saremmo riconciliate. Avrei capito ogni cosa, finalmente. Perfino l'addio definitivo mi sarebbe stato sopportabile se, prima, mi avesse concesso un istante di comunione. Sarebbe stato così. Doveva essere così. Corsi finché mi trovai esausta, senza fiato, sapendo che non appena mi fossi fermata quel nemico implacabile mi sarebbe balzato addosso a macinarmi, a torturarmi. Poi venne il momento in cui non riuscii più a correre. Mi gettai a terra e nascosi la faccia nel muschio. No, no, non serviva a nulla, dovevo alzarmi, dovevo camminare. E adesso ero impaziente di tornare quanto lo ero stata di uscire di casa. Forse nel frattempo era successo qualcosa – forse – forse.

Ma quando rientrai tutto era immutato. Nessuno aveva notato la mia assenza. Passai davanti alla biblioteca, la porta era aperta – era vuota – e salii nella mia stanzetta. L'ora era giunta. Non c'erano più scappatoie. Dovevo affrontare la realtà.

Sedetti sul letto e cercai di calmarmi. E di nuovo, per quanto facessi, la speranza venne a disturbare i miei pensieri, le mie risoluzioni. Com'è difficile uccidere la speranza! Cento volte si crede di averla schiacciata, di averla calpestata a morte. Cento volte, come un insetto nocivo, ricomincia a palpitare, risuscita a una fioca e tremula vita. E il verme di nuovo s'insinua nel cuore, e instilla il suo veleno, e rode le salde fondamenta della vita per lasciare al loro posto il vacuo fantasma dell'illusione.

«Stanotte verrà da me», pensai. «Non devo ancora disperare. Questa notte! Questa notte!» Ma come far passare tutte quelle ore? E se poi non fosse venuta – che avrei fatto? Che avrei fatto?

Presi a gettare le mie cose nel baule, a ritirarle fuori, a scaraventarle di nuovo dentro. Questo facevo quando la Signorina entrò nella mia stanza.

«Le ho portato una tazza di tè», disse.

«Grazie, non ne ho voglia», risposi con la testa dentro il baule.

«Mlle Julie è andata a Parigi...»

Speranza! Speranza!

«...non torna più, stanotte. Passerà il week-end con i R...
Le consiglio di bere il suo tè.»

E uscì.

Ah, così andava meglio. La creatura nociva era morta, ora.
Non avrebbe più scavato dentro di me. Infine m'ero liberata
dal suo rodere insidioso. Ora potevo ritrovare la calma e rac-
cogliere le forze per sopportare.

Andai alla finestra e guardai fuori. Non avrei rivisto mai
più quel cielo, quegli alberi, quella strada. La strada lungo la
quale di notte sentivo avvicinarsi la sua carrozza. Addio! Addio! *Pour jamais adieu! Pour jamais!*

M'inginocchiai accanto al letto e scoppiai in pianto.

14

Durante tutto il viaggio di ritorno in Inghilterra e poi per molte settimane, mesi e forse anni, non cessai di pensare agli episodi che ho testé narrato. Li rivivevo ora come un'estasi, ora come un tormento. Ma più spesso cercavo di capire il significato del suo atteggiamento verso di me. Quanto alle oscure parole che aveva pronunziato durante il nostro ultimo colloquio, mentre stavo in silenzio davanti a lei, sebbene ora mi sembrino illuminare curiosamente tutta la vicenda, me ne ricordavo appena. Erano incomprensibili, e non tanto a esse pensavo quanto a tutto il resto.

Per me aveva certamente provato dell'affetto. In certi momenti avevo osato pensare che mi amasse. Perché mi aveva trattato in quel modo proprio alla fine? L'avevo offesa? Era cambiata? Questo sembrava più probabile. Si era ricordata che la sola persona che avesse mai amato era quella donna distesa sul letto, morta. E mi aveva odiato per aver osato intromettermi, per averle messo sulle braccia un amore che la disturbava. Eppure, pensavo, perché, perché? Non ero forse stata umile? Avevo mai chiesto o preteso qualcosa di più della semplice gentilezza? Avevo mai sognato che tra lei e me fosse possibile qualcosa di più? Talvolta la mia coscienza inquieta mormorava «sì». Forse aveva capito, intuito, il palpito segreto dei miei sensi. Ne aveva avuto disgusto? Mi affrettavo ad accantonare quel sospetto spaventoso e ricominciavo da capo. Soprattutto doveva aver avuto paura di una scenata. Se fossi scoppiata in un pianto isterico, forse anche lei avrebbe ceduto e pianto con me. Ma quando mai mi ero lasciata andare a manifestazioni d'isterismo? Era ingiusto ritenermene capace. Le mie lacrime erano di solito silenziose. E in ogni caso, pensavo con ira, non aveva nessun diritto di trattarmi così crudelmente solo per risparmiare a se stessa l'imbarazzo delle mie lacrime. Avrebbe dovuto saperle accettare. Almeno questo me lo doveva. Ma forse aveva voluto di proposito lasciarmi con quell'ultimo crudele ricordo con l'idea di farmi del bene. Forse aveva pensato che in tal modo mi avrebbe guarita, che avrei sofferto di meno. Che errore! Che terribile errore! Non aveva misurato, non aveva neppur sospettato quanto profonda fosse la ferita che mi aveva inferto, né di avermi colpito alla sorgente stessa della vita, di avermi mutilata per sempre. E da parte sua sarebbe bastato uno sforzo minimo, un piccolo impegno dell'immaginazione, per salvarmi, per aiutarmi a sopportare questi mesi e anni così tristi. Ma perché avrebbe dovuto fare uno sforzo, anche il più lieve, per amor mio? Non le importava nulla di me. Nulla. I suoi pensieri erano volti altrove – al passato – all'avvenire. Io non ero nulla per lei. Nulla. Così andavo consumandomi il cuore in odio e rancore, gli occhi in lacrime lente e brucianti.

Un giorno, all'improvviso, sentii la sua voce come se mi stesse parlando. Mi tornò una frase che avevo dimenticata. La voce, seria, solenne, diceva:

«Credimi, Olivia, credimi, io non voglio farti del male».

Discese su di me una calma improvvisa e quasi magica. Misteriosamente, fui toccata dalla grazia. Quelle nubi soffocanti, accecanti, mi dileguarono dal cuore, dagli occhi; tornavo a respirare, a vedere. Ero salva.

Quella notte le scrissi una lettera. Le dissi che l'avevo odiata, che quella era stata la mia sofferenza più amata, ma che ora ero riconciliata con lei, con la vita. Sentivo di amarla di nuovo con la parte migliore di me. Sarei stata felice; avrei lavorato, vissuto. Avrei tentato ancora.

Contemporaneamente scrissi alla Signorina per chiederle notizie.

La Signorina mi aveva scritto un paio di volte. Mi aveva parlato del loro arrivo in una grande città canadese, della casetta in cui s'erano stabilite. Mlle Julie non aveva voluto aprire una nuova scuola. Avevano abbastanza da vivere e le occupazioni non mancavano. La Signorina dava lezioni d'italiano. Mlle Julie faceva delle traduzioni. Lettere brevi, secche. La Signorina non era una scrittrice. Ma una volta mi disse che il tagliacarte d'avorio era stato ritrovato in giardino e che Mlle Julie lo usava sempre.

Ma c'è bisogno di dire che lettera che attendevo in risposta alla mia, la lettera che speravo di ricevere, doveva essere di Mlle Julie? Me la sognavo di notte. La scrivevo mentalmente. Sarebbe stata tenera e consolante. Ma non venne mai. Fu solo la Signorina a scrivere. Riporto qui la sua lettera:

Olivia mia,

lei mi chiede notizie. Non ho molto da dirle. Non c'è stato nessun cambiamento importante dall'ultima volta che le ho scritto. Mlle Julie sta bene, ma continua ad avere delle crisi di pianto. Ne ha avuta una l'altro giorno e ho capito che era per via della sua lettera. Ho trovato i pezzetti nel cestino della carta. Ieri mi ha detto: «Di' a Olivia di non scrivermi più». Nient'altro.

Quanto a me, sono felice. Ma non si preoccupi. Di me, in fondo, non le importa molto, e quando verrà a morire mi caccerà via dalla stanza e non mi lascerà restare al suo capezzale. Lo so. Nel frattempo le spazzolo i capelli e mi inginocchio ai suoi piedi e le taglio le unghie. Questo mi basta. Ma non basterebbe a lei, Olivia. Lei ha avuto di più. Ma ha dovuto pagarlo caro.

Addio

Sia ringraziato Iddio che quando la lettera giunse ero in grado di pensare a lei e non più solo a me stessa.

Quattro anni erano passati quando ebbi l'ultima lettera dalla Signorina.

Olivia mia,

Mlle Julie è morta ieri sera di polmonite. La malattia non è stata lunga. Ha fatto in tempo a darmi disposizioni nel caso che fosse mancata e mi ha detto come dovevo disporre dei suoi beni. Ha detto di mandare a lei il tagliacarte d'avorio.

Mi ha lasciato abbastanza da vivere. Mia madre e mia sorella verranno a raggiungermi qui.

Addio

Il tagliacarte d'avorio è qui, sulla mia scrivania, mentre scrivo queste parole. Sopra vi è inciso un nome: JULIE.

1. Maurizio Chierici, *Quel delitto in Casa Verdi*
2. Sébastien Japrisot, *Una lunga domenica di passioni*
3. Lucien Bodard, *I diecimila gradini*
4. Jim Harrison, *Societ Tramonti*
5. Giovanni Arpino, *Il buio e il miele* (2ª ediz.)
6. Rosellen Brown, *Prima e dopo*
7. Gianni Brera, *Il mio vescovo e le animalesse*
8. Brian O'Doherty, *Lo strano caso di Mademoiselle P.*
9. Giorgio Capitani, *La fine dell'avventura*
10. Susanna Tamaro, *Va' dove ti porta il cuore* (30ª ediz.)
11. Leonard Simon, *Stati di dissociazione*
12. Luca Landò, *Ne ho ammazzati novecento*
13. Tonino Benacquista, *I morsi dell'alba*
14. Jim Harrison, *Un buon giorno per morire*
15. Rachel Billington, *Lesioni volontarie*
16. Erminia Dell'Oro, *Il fiore di Merara*
17. Maurizio Chierici, *Tropico del cuore*
18. James Crumley, *L'anatra messicana*
19. Ernst von Salomon, *I Proscritti*
20. Duccio Canestrini, *Il supplizio dei tritoni*
21. Michele Serio, *Pizzeria Inferno*
22. Susanna Tamaro, *Per voce sola*
23. Susanna Tamaro, *Per voce sola* (Tascabile, 13ª ediz.)
24. Jeffery Deaver, *Pietà per gli insonni*
25. Daniele Brolli, *Animanera*
26. James Lee Burke, *Prigionieri del cielo*
27. Alvaro D'Emilio, *Uomini veri*
28. James Gabriel Berman, *L'escluso*
29. Evgenij Evtušenko, *Non morire prima di morire*
30. George Dawes Green, *Il giurato* (2ª ediz.)
31. Edwidge Danticat, *Parla con la mia stessa voce*
32. Nanni Balestrini, *Una mattina ci siam svegliati* (2ª ediz.)
33. Jim Harrison, *Vento di passioni*
34. Enrico Brizzi, *Jack Frusciante è uscito dal gruppo* (14ª ediz.)
35. Kaye Gibbons, *L'amuleto della felicità*

Stampato nel maggio 2001 per conto
di Baldini&Castoldi S.p.A.
presso la Milanostampa S.p.A. - Farigliano (Cn)